東京帝国大学農学部

学徒動員関係史料

解説　西山　伸

第1巻

原史料：東京大学文書館所蔵・山本義隆関係資料「昭和十九年度　学徒動員関係書類」全4分冊

不二出版

刊行にあたって

西山　伸

勤労動員は、戦時期の高等教育機関にとって重要な出来事であったにもかかわらず、意外なほど研究されていない。文部省の官吏として自ら勤労動員に関わった福間敏矩氏の一連の労作（『学徒動員・学徒出陣　制度と背景』第一法規出版、一九八〇年、『集成　学徒勤労動員』ジャパン総研、二〇〇二年）によって、われわれは関連する法制度や文部省等から出された通牒を網羅的に見ることができる。しかし、そうした制度や通牒にもとづいて、どれくらいの学徒が、いつどこへ動員されたのか、といった最も基本的な事実は明らかになっているところが少ない。東京大学史史料室編『東京大学の学徒動員・学徒出陣』（東京大学出版会、一九九八年）における調査のほか、いくつかの大学沿革史に、残された日誌の翻刻や近年になって行われた卒業生への調査が掲載されている程度で、本格的な実態解明には程遠いのが現状である。

今回復刻される東京大学文書館所蔵「昭和十九年度　学徒動員関係書類」（以下、「本史料」と表記）は、限定的であるが、こうした研究史の欠落を埋めていく手がかりと評価されるものである。本史料は次に挙げるような特色をもっている。

第一に、本史料は東京帝国大学農学部における学徒勤労動員に関して、主に文部省等の官庁から送られてきた通牒類と、逆に東大側の回答などから構成されている。通牒類については福間氏の著書と重複するものも少なくないが、回答は東大独自のものであり、後述するように注目されるべきものである。

第二に、本史料の対象時期は一九四四年五月から四五年八月にまで及んでいる。すなわち、通年動員が始められ、学徒勤労令（一九四四年八月）により学徒の動員が制度化され、さらに四五年三月には国民学校初等科以外の授業が停止されるという、いわゆる「根こそぎ動員」の時期の史料ということである。

第三の、そして本史料の最も重要な特色として、東大農学部における勤労動員の実態が垣間見られるということが挙げられる。何度か行われた勤労動員実施状況報告によって、出動した人数、行き先、作業の種類などを知ることができる。また、科学研究要員としての動員除外に関する史料では、動員除外の人数だけでなく、農学部学生と戦時研究との関連も見ることができる。

このように、本史料は学徒勤労動員の実態を記した公文書として、極めて重要な意義をもつものといえよう。

（にしやま・しん　京都大学教授）

「昭和十九年度 学徒動員関係書類」発見の顛末

山本 義隆

一九七二年頃、東京大学農学部学生自治会の諸君が自治会室の掃除をしていた。農学部の自治会室は大きな階段教室の下にあり、入口近くは教室の高くなっている部分の下で天井が高いのだが、奥に行くにつれて階段教室の低くなっている部分の下になり、ずっと奥のほうではほとんど這ってゆかなければ進めないようになっていた。そして天井がある程度低くなった処からさらに奥は、何年にもわたるゴミ捨て場になっていて、古新聞や古いビラ、紙くずがほこりまみれになって大量に詰め込まれていた。その奥のほうのゴミの堆積のなかに、この「昭和十九年度 学徒動員関係書類」の一括が、同様に戦時中の総長告示や、その他「東京帝國大学教練規定」「東京帝國大学特設防護団 昭和十六年度事業計画」、「昭和九年 東京帝國大学学生生活調査報告」等とともに廃棄されていた。おそらく終戦直後に捨てられたものと思われる。

それらがゴミとして自治会室の奥から引き出され、放り出されたとき、そのまま放置しておけばゴミとして処分される運命にあったのだが、貴重なものかもしれないと判断して拾い上げた私が、行きがかり上、保管しておくことになった。いずれ時が来たら然るべき施設に寄贈しようと思ったのだ。

その後、一九八六年頃に私は元日大全共闘の諸君とともに東大闘争・日大闘争のビラ類および映像資料を収集し、保存する目的で「68・69を記録する会」を立ち上げ、一九九四年に会の成果物として、医学部研修協約闘争のはじまった一九六七年から六九年二月までの、東大闘争のビラやパンフレット、討論資料、大会議案、そして当局文書約五千点をゼロックスコピーにとって、全二三巻ハードカバー製本およびマイクロフィルム三巻の『東大闘争資料集』に仕上げた。その別巻として、農学部で見出した戦時下の総長告示一巻、そして「昭和十九年度 学徒動員関係書類」を『東京帝国大学農学部 学徒動員関連書類』という四分冊にして附し、国立国会図書館に納め、その後、五千数百点のそれらの資料原本を日大闘争の資料とともに千葉県佐倉市の国立歴史民俗博物館（歴博）に寄贈した。数年前である。歴博が二〇一七年に開催した企画展「〈１９６８年〉無数の問いの噴出の時代」の土台にはこれらの資料である。

なお、『東京帝国大学農学部 学徒動員関連書類』だけは、原資料として関連するすべての書類が揃っていて、素人判断でも重要に思われたので、ゼロックスコピーを二部作っておき、一部は手元に残しておいた。その、歴博に納められた『東京帝国大学農学

部 学徒動員関連書類』の原本を閲覧した東大の研究者が、それがきわめて重要なものであると認め、東大に移管してもらいたいという要望が、私のもとにも届いた。

私としては、すでに歴博に寄贈したもので、私の手を離れたものでもあるから、それを東大に移すことに諾否を言える立場ではないのだが、それだけではなく、ちょうどよい機会であると思い、そのとき農学部のゴミ捨て場から見出されたその他の資料も含めて、すべて東京大学文書館に寄贈することにした。それらはいずれも、文書館が所有していないものであった。東京大学は、戦争中の文書史料を組織的に残すということを、それまでやってこなかったようである。ということは、戦争中、とくに学徒動員から学徒出陣に至る過程で国策に協力して学生に対して行なってきたことに関して、大学として事実を明らかにし、点検し、反省するということをしてこなかったことを伺わせる。

ちなみに、二〇一四年に東京大学に文書館がつくられたということを、そのとき私は初めて知ったのである。そしてこの文書館からさらに要望があったので、『東大闘争資料集』の総目録とマイクロフィルム二巻をも寄贈した。

その後、国会図書館で『東大闘争資料集』別巻としての『東京帝国大学農学部 学徒動員関連書類』を閲覧した不二出版の編集者から、それを復刻版として出版したいという要望があり、私の手元に残しておいたゼロックスコピーをお渡しした。これが、不二出版からこの史料の復刻版が出る経緯のすべてである。

こうして、ひとつの学部だけについてであるが、大戦中の学徒動員の実相がほぼ八十年ぶりに広く明るみに出ることとなった。かつての大戦中に東京帝国大学がどのようなことをしていたのか、学生がどのような状況に置かれていたのか、それらの研究に幾分かでも資することを願っている。

なお『東大闘争資料集』については、その後に集められた資料を含め、全五千四百点余、一万三千百頁余のＤＶＤ増補改訂版が今年完成された。

（やまもと・よしたか　元東大全共闘代表・駿台予備学校講師・科学史家）

二〇一九年　十月

凡　例

一、『東京帝国大学農学部 学徒動員関係史料』は、東京大学文書館所蔵・山本義隆関係資料「昭和十九年度　学徒動員関係書類」全4分冊を、全2回配本・全4巻として復刻、刊行するものである。

一、底本である「昭和十九年度　学徒動員関係書類」は、山本義隆氏の「68・69を記録する会」が『東京帝国大学農学部　学徒動員関連書類』（『東大闘争資料集』別冊）4分冊として編集、最終的に東京大学文書館に寄贈されたものである。その経緯については、山本義隆「「昭和十九年度学徒動員関係書類」発見の顛末」（第1巻収録）に詳しい。

一、収録にあたっては寄贈時の編集（4分冊）に従い、全4巻とした。なお原簿目録、寄贈者作成目録は第1巻に収録した。

一、収録文書群には、原簿に附されていた目録、寄贈時に附された目録に従って文書群名、番号等を附し、分類した。詳細は「収録内容一覧」（第1巻収録）を参照されたい。

一、本史料の位置づけ及び意義を詳解する解説（西山伸）を、第1巻冒頭に附した。

一、原史料を忠実に復刻することに努め、紙幅の関係上、適宜拡大・縮小した。印刷不鮮明な箇所、書き込み等も原則としてそのままとした。また判読できない文字は■と記した。

一、個人の特定によりその人権が侵害される恐れがあると判断された箇所は、██等で伏せ字とした。

一、本復刻にあたっては、東京大学文書館、山本義隆氏にご協力いただきました。記して感謝申し上げます。

『東京帝国大学農学部　学徒動員関係史料』全4巻　収録内容一覧

・本史料は、東京大学文書館所蔵・山本義隆関係資料「昭和十九年度　学徒動員関係書類」全4分冊を収録するものである。
・文書群名、文書番号は、原則として原簿目録（第1巻収録）の件名を原簿と照合の上、記載した。
・文書群総数は152点である。その内訳は、原簿で番号が附せられた137点、寄贈時に「＊」がつけられた9点、「附録」とされた書類の裏に印刷されていた文書の6点である。
・「＊」のついた文書は、原簿目録には記載されていないが、納本者が独立した件名としたものであり、本史料もそれに従った。同様に「附録」もそのまま収録した。
・137点のうち、［番号1］は［番号9］に含まれるかたちで収録されている。また［番号82］は重複しているため、後者を［番号82※］とした。
・一覧記載の日付としては原簿目録の文書受付年月日に拠り、原簿を参照の上、記載した。
・宛名等、編集部で補った情報は［　］で記した。また学内文書の場合は「東京帝国大学」を略して記述した。

第1巻（第1冊）

文書番号	文書群名	年	日付	主な作成者	主な文書、付帯資料、備考（宛先）等
1	※食糧増産隊幹部トシテノ学徒動員ニ関スル件	昭和一九年	五・二七	文部省学徒動員本部	※［番号9］の一部として収録。
2	食糧増産隊幹部要員トシテノ学徒動員ニ関スル件		五・一八	農商省農政局長・農業報国連盟常務理事	食糧増産隊幹部要員動員計画／食糧増産隊幹部要員学徒準備訓練要綱／『農業報国推進隊通報：食糧増産隊・第四回推進隊訓練』（昭和一九年二月一五日付）／静岡県八ツ嶽へ勤労動員出動■氏名ノ件／附：電報文
3	警戒警報発令ニヨリ五月廿一日ノ試験延期（六月一日）ノ件届出		五月	農業経済学部　木下	
4	学徒勤労動員実施要領ニ関スル件		五・一五	学生課長　大室貞一郎	文部次官・学徒動員本部次長（五・四）
5	工場事業場等学徒動員ノ受入側措置要綱ニ関スル件		五・一五	学生課長　大室貞一郎	文部省総務局長・学徒動員本部総務部長（五・四）／工場事業場学徒勤労動員受入側措置要綱
6	学徒勤労動員ニ関スル件		五・二七	農学部長	学徒勤労ニ付動員先希望
7	学徒勤労動員ニ関スル件		五・二九	農学部長	学徒勤労ニ付動員先希望
8	学徒動員ニ関スル件照会ト回答		五・二〇	［農学部］	
9	食糧増産隊幹部トシテノ学徒動員ニ関スル件		五・二九	学生課長　大室貞一郎	文部省学徒動員本部第一部長（五・二〇）［番号1を含む］
＊1	学徒動員ノタメノ身体検査結果表		五月	農学部	
10	学生動員ニ関スル件		五・二四	第一海軍衣糧廠	
11	金澤幸三ニ軍現地自活向種苗ノ原種育成実施配置依頼ノ件		五・一六	農商省園芸試験場種苗育成地熊澤	
12	動員学徒ノ帰校方及其他取扱ニ関スル件照会		五・一五	海軍航空技術廠総務部長	
13	学徒動員ニ際シ外国人留日学徒ノ取扱ニ関スル件		四・三〇	学生課長　大室貞一郎	文部省専門教育局長（四・二四）

番号	件名	日付	発信者	添付
14	内地在学本島人理科系大学専門学校学徒勤労動員ニ関スル件	五・一二	農学部長	台湾総督府東京出張所（五・一二）／内地在学本島人理科系大学専門学校学徒（第三学年以上）勤労動員状況調書
15	食糧増産土地改良事業実施勤労動員ニ参加礼状ノ件	五月	中央農業会会長・伯爵 坂井忠正	
16	農業土木二年生十名学徒動員満洲ニ派遣ノ件〔電文ニテ〕	六・一三	満洲	
＊2	学徒勤労動員出動者調	六月	〔農学部各科〕	
17	配給依頼ノ件	六・六	農学部長	
18	農繁期食糧増産作業協力ノ為大学専門学校学徒動員割当ニ関スル件	六・一〇	学生課長 大室貞一郎	学徒動員本部第一部長・文部省専門教育局長 永井浩（六・三）
19	学徒勤労動員ニ関スル件〔文部省大学課長 西崎恵宛〕	六・一一	農学部長	
20	工場事業場等学徒勤労動員学校側措置要綱ニ関スル件	五・二〇	学生課長 大室貞一郎	文部省総務局長・学徒動員本部総務部長（五・一二）／工場事業場等学徒勤労動員学校側措置要綱
＊3	決戦非常措置ニ基ク学徒動員ニ関スル件	六・一七	農芸化学科主任 佐々木林治郎	
21	学徒動員ニ関スル件	六・二二	農学部長	
22	学徒動員ニ依ル学徒勤労報国隊（海軍委託学生、生徒）ノ給与ニ関スル件	六・二二	農学部長	第二海軍燃料廠総務部長（六・一七）
23	報償受領者指定ノ件	六・二二	農学部長	海軍航空技術廠総務部長（六・一七）
24	海軍委託学生ノ出動ニ関スル件〔軍需局第二課長 齋藤大佐宛〕	六・二〇	農学部長	
25	学徒勤労動員受入ニ関スル件	六・一五	陸軍獣医学校長 吉村市郎	
26	学徒動員ニ伴フ経理部依託学生実務実習ノ件	六・七	庶務課長	陸軍航空本部経理部長（六・二）
27	経理部依託学生ニ対スル旅費支給庁ノ件	六・七	庶務課長	経理部依託学生取締将校陸軍主計大佐 石井恒吉（五・三一）
28	学徒動員ニ伴フ経理部依託学生ノ実務実習ニ関スル件通牒	六・八	陸軍糧秣本廠長	
29	学徒動員ニ伴フ陸軍獣医部依託学生々徒実習計画送付ノ件	六・一一	陸軍獣医学校長	
30	勤労動員先希望ニ関スル件	六・一一	農学部長	
31	学校卒業者使用制限令適用ノ件	六・七	文部省学徒動員本部第一部長	
32	獣医部依託学生生徒携行品ニ関スル件	六・二六	陸軍獣医学校	
33	農林関係学徒勤労動員ニ関スル件	六・二四	満洲農地開発公社東京事務所参事 杉崎靖	
34	来年度卒業農科、獣医科学徒動員ニ関スル件	六・二二	財団法人日満鉱工技術員協会理事長 梅野實	渡満学徒輸送要領
35	満洲派遣動員学徒ニ関スル件	康徳一一 六・二四	駐日満洲国大使館参事官 桂定治郎	学徒（農科・獣医・薬学）出勤先会社別割当表

No.	件名	年月日	差出	備考
36	陸軍獣医部依託学生生徒実習開始期日ニ関スル件	昭和一九年 七・四	陸軍獣医学校長	派遣者携行品
37	学徒動員ニ伴フ陸軍獣医部依託学生々徒実習計画送付ノ件通牒	六・一五	陸軍獣医学校長	学徒動員ニ伴フ陸軍獣医部依託学生々徒実習計画（秘印アリ）
38	一、二、三年在学者ノ学徒勤労動員ニ参加可能者、氏名ニ関スル件	七・五	農業経済学科主任 東畑精一	
39	来年度卒業農科、獣医科学徒動員ニ関スル件	六・二四	財団法人日満鉱工技術員協会理事長 梅野實	
40	学徒勤労動員ニ伴フ学徒ノ被保険者資格ニ関スル件	六・二八	学生課長 大室貞一郎	学徒動員本部第三部長・文部省体育部長（六・二一）／厚生省保健局長（五・二二）

第2巻（第2冊）

No.	件名	年月日	差出	備考
41	学徒勤労ノ出動督励ニ関スル件	六・一七	学生課長 大室貞一郎	学徒動員本部総務部長・第一部長（六・一〇）
42	学徒勤労動員受入側措置要領ニ関スル件	七・一二	日満鉱工技術員協会理事長 梅野實	鉱工関係学徒勤労動員受入側措置要領
43	動員学徒ノ工場通勤用定期券購入等ニ関スル件	五・二三	学生課長 大室貞一郎	学徒動員本部総務部長（五・一七）
44	動員学生ニ対スル学科講義ノ件	七・七	農学部長	
45	陸軍経理部委託学生ニ対スル学科講義ノ件	六・三〇	農芸化学科主任 佐々木林治郎	
46	農繁期国民皆働運動ニ協力スベキ学徒ノ鉄道運賃ニ関スル件	六・二〇	学生課長 大室貞一郎	文部次官（六・七）
47	学徒出動者氏名報告ノ件	七・一七	農学部長	学徒勤労ノ動員調（農学部）／東京営林局出動学生名簿／学徒動員者氏名
48	工場事業場等勤労動員学徒用作業衣配給ニ関スル件	七・一〇	学生課長 大室貞一郎	農商省繊維局長 篠山千之・厚生省勤労局長 中村敬之進・文部省総務局長 藤野薫（六・二八）
49	学徒動員ニ伴フ経理部依託学生実務実習地変更ノ件	七・六	庶務課長	陸軍航空本部経理部長（六・三〇）
50	学徒勤労動員ニ伴フ軍事教育ノ実施ニ関スル件	七・一二	庶務課長	文部次官 菊池豊三郎（七・八）
51	学徒動員実施要綱ニ依リ動員中ノ学徒ノ体力検査ニ関スル件	七・一五	学生課長	厚生省健民局長（六・二九）
52	一、 三年相当学生ノ出動者氏名報告ニ関スル件	七・二一	農業経済学科主任 東畑精一	
53	学徒動員ニ伴フ獣医部依託学生生徒実習ニ関スル件	七・一四	東京師団獣医部長	
54	学徒勤労動員間ノ指導ニ関スル件通牒	七・四	東部軍参謀長	

No.	件名	月日	発信者・受信者	付属文書等
55	学徒勤労動員ニ関スル件回答	七・二二	農学部長	
56	学徒勤労動員ニ関スル件照会	七・二	札幌地方燃料局長	
57	動員学生ニ対スル学科講義出席ノ件回答	七・一三	陸軍被服本廠長	
58	学徒勤労動員委員ニ関スル件	七・一五	農学部長	
*4	〔獣医学徒勤労動員請入陸軍部隊ニ於ケル軍陣獣医学教育援助ニ関シテ〕	七・一七	陸軍省兵務局獣医課 荒井中佐	動員獣医学徒軍陣獣医学教育援助要綱案（マル秘印）
59	学徒動員ニ関スル件	八・四	農学部長	
60	勤労動員学徒ニ対スル食糧配給ニ関スル件	八・四	学生課長 大室貞一郎	本郷区長 山崎平吉（七・二二）
61	学徒動員者追加報告ノ件	八・一五	農学部長	学徒動員者追加報告／学徒動員者追加氏名
62	学徒報国隊員居住関係調査ノ件	六・一三	農学部長	文部省体育局長 小笠原（五・三一）／学徒居住調査表
63	学徒勤労動員状況月報記載方ニ関スル件	七・二五	学生課長 大室貞一郎	文部省総務局調査課長（七・二〇）
64	農学部第三学年学徒出動配属割当	七・一七	学生課	
65	勤労学徒ノ休養睡眠並ニ宿泊清掃ニ関スル件	八・一二	学生課長 大室貞一郎	文部省体育局長・学徒動員本部第三部長（七・一九）
66	勤労動員学徒疾病ニ関スル報告ノ件 康徳一一	八・一六	満洲農地開発公社人事課長	
67	農林水産業ニ対スル学徒勤労動員受入側及学校側措置ニ関スル件	八・二三	文部省総務局長・農商省総務局長	農林水産業ニ対スル学徒勤労動員受入側及学校措置要綱
68	動員学徒ノ勤労状況調査ノ件	九・四	農学部長	学徒動員本部第三部長（八・一四）／学徒動員ノ勤労状況調査
69	依託学生生徒夏季軍事教育ニ関スル件通牒	八・四	陸軍航空本部総務部長	
70	動員中ノ依託学生、生徒復学ニ関スル件	八・二一	〔農学部〕	陸軍兵器行政本部総務部長（八・五）
71	食糧増産隊配属学徒見習幹部ニ関スル件	七・二九	農業報国会理事長 田中長茂	
72	獣医学徒勤労動員兼務等視察ニ関スル件通牒	七・二九	陸軍省兵務局獣医課長	獣医学徒動員等視察計画
73	学徒動員ニ関スル件	八・四	農学部長	
74	勤労動員学徒ニ関スル挨拶ノ件	八・七	満洲農地開発公社理事長 花井脩治	
75	勤労動員学徒ニ対スル主要食糧ノ配給ニ関スル件	七・二四	学生課長 大室貞一郎	食糧管理局長官（六・二〇）
76	学徒動員等ニ伴フ事故防止並ニ報告ニ関スル件	八・四	学生課長 大室貞一郎	学徒動員本部第三部長（七・二六）
77	軍作業廠等学徒勤労動員受入側措置ニ関スル件	八・八	学生課長 大室貞一郎	学徒動員本部第三部長（七・二六）
78	学徒勤労令施行ニ関スル件	八・三一	学生課長 大室貞一郎	文部次官・厚生次官・軍需次官（八・二三）
79	学徒動員「三年相当学生」帰校ニ関スル件	九・一二	〔農学部〕	学徒動員「三年相当学生」調
80	学徒動員本学受入レタル学徒ノ報償金贈与ノ件	五・一〇	〔石井〕	
81	動員学徒（三学年依託学生）帰校ノ件照会	八・三〇	海軍航空技術廠総務部長	マル秘印

82	学徒動員海軍依委託学生（生徒）三学年ノ復校ニ関スル件通知	九・六	第二海軍燃料廠総務部長	
82※	学徒勤労令施行ニ関スル件	八・三一	学生課長 大室貞一郎	文部次官・厚生次官・軍需次官（八・二五）
83	農業土木関係学科主任動員ニ関スル件	九・一二	文部省学徒動員本部第一部長	附、電報文
84	学徒勤労動員出動者氏名報告ノ件	七・一七	農学部林学科	
85	理工科関係学科第二学年学徒動員ニ関スル件	九・八	学生課長 大室貞一郎	文部省専門教育局長（九・二）
86	理科系学徒ニシテ十月二年生ニナル者ノ教育継続ニ関スル件	九・一五	庶務課長	文部省専門教育局長（九・一三）
87	海軍依託学生復帰ニ関スル件通知	九・二六	海軍省軍需局第二課	
88	勤労学生派遣ニ関スル件	九・九	農学部事務室	北海道水産試験場長 大島幸吉（九・五）

第3巻（第3冊）

89	学徒勤労派遣責任教職員ノ指導ニ関スル件	九・二一	学生課長 大室貞一郎	
90	学徒勤労派遣責任教職員ノ指導ニ関スル件	九・一三	文部次官	
91	勤労動員学徒帰還ニ関スル件 康徳一一	九・一六	満洲農地開発公社理事長 花井脩治	附、電報文
92	勤労学徒勤務成績送付ノ件通牒	一〇・二	陸軍獣医学校長	勤労学徒勤労成績表
93	科学研究要員トシテノ学徒ニ対シ勤労動員除外ノ件	八・二九	学生課長 大室貞一郎	文部省科学局局長・学徒動員本部第一本部長（八・二三）／科学研究要員トシテノ学徒承認申請書／研究補助者トシテ学生ヲ㽞保スル件（九・一五）
94	学徒勤労動員実施状況報告ノ件	一〇・二四		文部省学徒動員本部第一部長（一〇・一）
95	出動学徒ニ関スル勤労機動配置非常対策ニ関スル件	一〇・一三	学生課長 大室貞一郎	文部次官（九・三〇）
96	勤労機動配置非常対策ニ関スル件依命通牒	九・七	厚生次官	
97	勤労動員学徒ノ健康管理ニ関スル件	九・一一	学生課長 大室貞一郎	文部省体育局長・学徒動員本部第三部長（九・三）
98	身体状況ニ依ル動員除外学徒措置要綱ニ関スル件	一一・二一	農学部長	身体状況ニ因ル動員除外措置要綱
99	学徒動員実施調書ノ件	一一・二五	農学部長	
100	動員実施並ニ除外調書ノ件	一一・二五	農学部長	
101	科学研究要員トシテノ学徒ニ対シ勤労動員除外ニ関スル件	一一・一三	農学部長	
*5	学徒動員受入先調査	一一・二〇	農学部	東京帝国大学在郷軍人分会々員調査ノ件（一一・一九）
102	食糧増産隊学徒動員ニ関スル件	一一・三〇	事務室	
103	学徒動員ニ伴フ事故防止並ニ報告ニ関スル件	一二・九	農学部長	学徒動員本部第三本部長（一一・一三）／学徒動員等ニ伴フ事故防止並ニ報告ニ関スル調書 第二期分

104	派遣学徒ノ「出勤表」提出期限励行ニ関スル件通牒	一二・一一	陸軍糧秣本廠研究部長	
*6	農業土木関係学徒動員ニ関スル件	一一・三〇	文部省学徒動員本部第一部長	学徒動員ニ伴フ事故防止並ニ報告ニ関スル件（農業土木学科、一二・六）混入か。
105	科学研究要員トシテノ学徒ニ対シ動員除外ノ件	一〇・六	農学部長	
		昭和二〇年		
106	海軍依託学生勤労動員ニ関スル件照会	一・一七	海軍航空本部総務部長	マル秘印
107	陸軍技術部（航空関係）依託学生実習ニ関スル件通牒	一・二〇	陸軍航空本部総務部長	決戦非常措置要綱ニ基ク学徒動員態勢確立ニヨル技術部（航技）依託学生々徒実習並ニ取扱実施要領
108	理科系大学高等専門学校学徒ノ勤労動員時期等ニ関スル件	一・二二	学生課長　大室貞一郎	文部省総務局長・厚生省勤労局長・軍需省総動員局長（一・一五）
109	勤労動員ト学校防空トノ再調整ニ属スル件	二・二二	学生課長　大室貞一郎	文部省総務局長・防空総本部警防局長・内務省警保局長・厚生省勤労局長（一二・六）
110	工鉱関係及理科系大学学生第二学年ノ動員割当ニ関スル件	一・一七	学徒動員本部第一本部長　関口勲	
*7	農業土木関係学徒動員実施要領	三・二〇	学徒動員本部第一本部長	
111	科学研究要員トシテノ学徒ニ対シ勤労動員除外ノ件	二・一五	農学部学部長	科学研究要員トシテノ勤労動員除外者氏名
112	科学研究要員トシテノ学徒ニ対シ勤労動員除外ノ件	二・七	学生課長　大室貞一郎	文部省科学局長・学徒動員本部第一部長（二・一）
113	学徒動員出動希望上申ノ件	四・一一	農学部学部長	獣医学科学生勤労動員出動願／研究補助員採用許可願ノ件／動員学生帰学願ノ件／研究補助員採用許可願ノ件
114	留日満洲国学生ノ本国勤労動員実施ニ関スル件	三・二七	学生課長　大室貞一郎	文部省学徒動員本部第一部長（三・二〇）
115	動員学徒等救護ニ関スル件	一・二二	学生課長　大室貞一郎	文部次官（一二・二七）／動員学徒救護事業要綱
116	緊急動員学徒移動ニ伴フ手荷物輸送ノ件	一・七	学生課長　大室貞一郎	軍需省航空兵器総局総務局長（一二・二七）
*8	東京都疎開事業出動者	四月	農学部	東京都疎開事業出動学生名簿
117	東京都緊急建物疎開事業協力ノタメ学徒緊急動員割当ニ関スル件	三・二三	学徒動員本部第一部長　関口勲	東京都緊急建物疎開事業実施要領
*9	学校報国隊出動命書	五・七	文部次官	
118	学徒勤労出動期間延長等ニ関スル件	三・二三	学生課長　大室貞一郎	文部省総務局長（三・一七）

第4巻（第4冊）

119	大学専門学校林学科学徒動員ニ関スル件	四・二八	帝室林野局業務部長	
120	軍需系依託学生出動時期ニ関スル件	四・二一	学生課	海軍依託学生生徒勤労動員ニ関スル件通牒（海軍省軍需局長、四・一三）

番号	件名	日付	発信者	備考
121	食糧増産技術指導学徒動員ニ関スル件	五・一四	農商省農政局農産課長	
122	学徒勤労表彰ニ関スル件	三・一七	学生課長　大室貞一郎	文部省総務局長（三・七）
123	農業関係大学専門学校学徒通年動員ニ伴フ学校派遣教職員ノ指導旅費及手当交付ニ関スル件	五・一七	農商省要員局長	
124	学校報国隊出動令書発令ニ関スル件	六・一	文部省学徒動員本部第一部長	
125	工場ニ於ケル学徒隊組織運営並ニ学徒勤労指導組織確立要綱ニ関スル件依命通牒	六・三	文部省総務局長・厚生省勤労局長・軍需省総動員局長	工場ニ於ケル学徒隊組織運営並ニ学徒勤労指導組織確立要綱
126	農業ニ関スル学徒勤労ノ強化刷新ニ関スル件	六月	学生課長　大室貞一郎	文部次官（五・二四）／文部省・農商省・厚生省、次官会議決定（五・二二）
127	空襲時動員学徒ノ配置転換等ニ関スル件	六・一五	学生課長　大室貞一郎	厚生省勤労局長・文部省総務局長（五・一三）
128	科学研究要員トシテノ学徒ニ対シ勤労動員除外ノ件	六・一三	農学部長	
129	科学研究要員トシテノ学徒ニ対シ勤労動員除外ノ件	五・七	学生課長　大室貞一郎	科学研究要員トシテノ学徒承認申請書
130	援農出動学生数報告ノ件	六・二一	農学部長	学徒勤労動員期間中指導係員日割表／学徒動員援農現地略図
131	動員学徒（最高学年）帰校ノ件通知	六・二六	第一海軍技術廠総務部長	マル秘印
132	大学理工科系第二学年学徒動員ニ関スル件	二・二三	学生課長　大室貞一郎	文部省学徒動員本部第一部長（二・一五）
133	第三年海軍依託学生生徒動員解除ノ件通知	六・二五	海軍航空本部総務部長	マル秘印
134	身体検査施行ノ件	六・二	学生課長　大室貞一郎	
135	科学研究要員トシテ勤労動員除外ノ件	六・一三	農学部長	
136	動員解除申請ノ件	八・三	農学部長	
137	援農動員指導教官出張日数報告ノ件	七・二一	農学部長	
	附録（書類の裏に印刷されていたもの）			
附1	通学証明書			
附2	東京帝国大学報国隊　農学部隊編成表〔部分〕			
附3	昭和二十年度第二期特別研究生候補者調査書〔部分〕			
附4	東京帝国大学奨学生共励会会則			
附5	学部共通細則〔部分〕			
附6	新規女子中等学校卒業生募集案内		海軍航空技術廠／海軍航空技術廠支廠	

目次

解説

西山 伸

一、『東京帝国大学農学部　学徒動員関係史料』の概要

　本史料は、東京大学文書館所蔵「昭和十九年度　学徒動員関係書類」（以下、「本史料」と表記）の復刻である。本史料の由来は、寄贈者である山本義隆氏の手による「『昭和十九年度　学徒動員関係書類』発見の顛末」が本書に収載されているので、そちらを参照いただきたい。

　本史料は山本義隆氏による寄贈時に四分冊としており、今回の復刻でもそれを踏襲している。文書群にはその冒頭に、一から一三七までの番号が打ってある。同一番号の重複等もあり、その総数は一三七、そのほか寄贈時に番号を附された文書群が九点あるので、総数は一四六点となる。さらに本史料には、附録とされた六点も併せて収録されている。

　個別史料の内容としては、文部省、特にそのなかに設置された学徒動員本部などからの通牒類、動員学徒受入機関からの文書、農学部の回答文書などとなっている。このうち、通牒類については、後述する福間敏矩氏の著書に収録されているものが少なくないが、農学部の回答文書については、これも後述するように農学部の学徒動員の実態が垣間見られる史料が含まれており、興味深い。

　本史料の対象時期は一九四四年五月から四五年八月に及んでいる。四四年二月二五日には「決戦非常措置要綱」が閣議決定され、中等学校以上の学生生徒は今後一年常時勤労その他の非常任務に出動できる態勢を作ることが求められるようになった(1)。これを受けて、三月七日には「決戦非常措置要綱ニ基ク学徒動員実施要綱」がやはり閣議決定されている(2)。ここでは学校の段階に応じた動員実施の要綱が定められており、特に高等教育機関の理科系学徒については、専攻分野ごとに区分された形となっている。そのなかで農学に関しては次のように記されている。

> 農業関係ノ学生生徒ノ勤労動員ハ原則トシテ其ノ履修スル学科ノ種別ニ応ジ其ノ専門ヲ最モ能率的ニ発揮シ得ベキ食糧増産、工場事業場等ニ動員シ特ニ食糧増産作業等ニ付テハ其ノ指導者トシテ活用スル如ク措置ス

　本史料の冒頭に、農業関係の大学専門学校学徒を対象に食糧増産隊幹部要員としての動員に関する文書が数点あるが［番号2、4、5、9］、これらは右の閣議決定を踏まえての動きであろう。

　一方、本史料の終わりの方にある重要な文書として、一九四五年六月から七月まで群馬県で一年生を対象に実施された援農事業への動員が挙げられる［番号130、137］。実は、大学の理系学生の動員は、二、三年生を主な対象とし、一年生は在学して勉強させることを基本としていた。例えば、四四年八月七日に二宮治重文相に面会した東大の内田祥三総長は、理学部と農学部の学徒勤労動員について「二、三年ハ夫レ大レノ専門分野へ数名又ハ一〇数名ヅヽ、一年ハ在校授業」と述べていた(3)。また、翌四五年三月七日の帝国大学総長会議において文部省の永井浩総務局長は、やはり学徒勤労動員について「医ハ一、二、三年ハ動員セズ、四年生ハ原則トシテ軍等ノ病院ニ動員ス他学部ニ付テハ理科系ハ一年ハ勉強サス、二年生ハ通年動員、三年生モ動員スルガ最后ノ三ヶ月ハ仕上教育ノ意デ大学へ返スコレガ原則従テ勉学ノ期間十五箇月トナル」と説明していた(4)。このように、建前として行われていなかった一年生の大規模動員が、一九四五年六月段階には実施されるようになったことになる。

　つまり本史料は、高等教育機関における学徒動員が専門分野別に行われる時点から始まり、大学一年生も含めた全学的な「根こそぎ動員」が実施されるようになった時点までのものであるということができる。

二、学徒勤労動員と当該期の東京帝国大学農学部

(一) 学徒勤労動員について

戦時下の学徒勤労動員が、一九三八年四月一日公布の国家総動員法に始まるのは周知のことだが、当初各高等教育機関における勤労動員は精神教育的な側面の強いものであった。それが、戦争が長期化した四一年になると、まず食糧増産を目的とした学徒の動員強化が図られるようになり、次いで文部省は、前年に修練組織として各高等教育機関に作らせていた学校報国団を学校報国隊に再編成して学校教練、食糧増産作業などに当たらせることにした。東京帝国大学においても、この年一〇月に総長を隊長とする報国隊が設けられている[5]。さらに、一一月二二日に公布された国民勤労報国協力令では、「国民勤労報国隊」による年間三〇日以内の勤労が課せられたが、学校報国隊はこの「国民勤労報国隊」とみなされ、各学校における動員の主体と位置づけられた。

対米英戦が劣勢に向かいつつあった一九四三年一〇月には「教育ニ関スル戦時非常措置方策」が閣議決定され、一年のうち「概ネ三分ノ一相当期間」勤労動員を実施することとされた[6]。以後は、動員期間は拡大の一途をたどり、四四年一月一八日の閣議決定「緊急学徒勤労動員方策要綱」では一年のうち四カ月を継続して動員することが定められ[7]、前述のように二月には「決戦非常措置要綱」、三月には「決戦非常措置要綱ニ基ク学徒動員実施要綱」が相次いで決定され、これにより通年動員、専門分野別の動員などが開始された。また、四月には文部省に文部大臣を本部長とする学徒動員本部が設けられ、動員関係の事務を取りしきることになった。

さらに、八月二三日には学徒勤労令が公布され、学徒の動員が国民勤労報国協力令から切り離して独自に制度化され、最終的には一九四五年三月一八日の閣議決定「決戦教育措置要綱」によって、国民学校初等科以外の学校における授業は原則として翌年三月まで一年間停止となり、学徒隊が組織されて全学徒が総動員される態勢がつくられたのである。

ところで、右のように学徒勤労動員は、戦時期の高等教育機関にとって重要な出来事であったにもかかわらず、意外なほど研究は進んでいない。当時、文部省の官吏として自ら勤労動員に関わった福間敏矩氏の一連の労作によって、関連する法制度や文部省等から出された通牒類については網羅的に見ることができる[8]。しかし、そうした制度や通牒類にもとづいて、どれくらいの数の学徒が、いつ、どこへ動員されたのか、といった最も基本的な事実は明らかになっているところが少ない。かつて東京大学史史料室(東京大学文書館の前身)が、学内文書や『帝国大学新聞』にもとづいて東京帝国大学の学徒動員の実態調査を実施し、一九三七年から四五年までで合計三一一件の動員があったことを明らかにしたが、全容の解明に至っているとは言いがたい[9]。他には、いくつかの大学沿革史に、残された日誌の翻刻や近年になって行われた卒業生へのアンケート調査などが掲載されている程度[10]で、本格的な実態解明には程遠いのが現状である。

(二) 当該期の東京帝国大学農学部について

本史料当時の東京帝国大学農学部は、農学科、農芸化学科、林学科、獣医学科、水産学科、農業経済学科および農業土木学科の七学科から構成されていた。『文部省第七十二年報 昭和十九年度』(一九五〇年)に掲載されている一九四四年四月三〇日現在の在学生数は**表1**のとおりで、日本人学生は八四四名在学していた。

表1　東京帝国大学農学部学生数　(1944年4月30日現在)

学科＼入学年度	1944	1943	1942	1941	1940	1939以前	計
農学科	×1 15	×2 42	70	4	4	0	×3 135
農芸化学科	59	×1 54	110	1	2	0	×1 226
林学科					0	1	1
林学科（林業専修）	30	22	30	3			85
林学科（林産学専修）	19	20	32	2			73
獣医学科	×1 27	11	36	4	0	0	×1 78
水産学科	20	15	26	1	0	1	63
農業経済学科	×1 29	×5 28	×2 54	7	1	0	×8 119
農業土木学科	25	14	24	0	1	0	64
計	×3 224	×8 206	×2 382	22	8	2	×13 844

※『文部省第七十二年報　昭和十九年度』1950年、296頁より作成した。
※×印は外国人を示す（外数）。
※林学科は、1941年度に専修制が設けられ、専修別に学生を受け入れるようになった。

なお、**表1**を見る際の注意点が二つある。第一は、当時は高等学校も含めた在学・修業年限の短縮が行われていたことである。四年制だった医学部を除くその具体的な状況は、**表2**のとおりで、大学の在学年限短縮は一九三九年四月入学者から始まっている。その後、高等学校の半年短縮が始まると、大学の在学年限は三年に戻る（四二年一〇月入学者から）ことになる。これにより、四二年度には大学は二度入学者を迎えるが、『文部省年報』の統計ではまとめて表記しているため、**表1**もそうせざるを得なかった。四二年度入学の在学生数が多いのはそのためである。

表2　戦時期における大学（医学部を除く）の入学・卒業・在学年限

入　　学	卒　　業	在学年限
1938年4月	1941年3月	3年
1939年4月	1941年12月	2年9カ月
1940年4月	1942年9月	2年6カ月
1941年4月	1943年9月	2年6カ月
1942年4月	1944年9月	2年6カ月
1942年10月	1945年9月	3年
1943年10月	1946年9月	3年
1944年10月	1947年9月	3年
1945年4月	1948年3月	3年

第二は、この前年の一九四三年一〇月二日公布の「在学徴集延期臨時特例」によって、在学者の徴集猶予が停止された、いわゆる学徒出陣が始まったことである。学徒出陣が、文系の学徒を主たる対象としていたことはよく知られているが、農学部の一部もその対象に含まれていた。四三年一一月一三日公布の陸軍省告示第五四号によると、農学部で対象となるのは「農学科、農業経済学科、農業生物学科、農林経済学科、農林生物学科」であった。[11]

これを東京帝国大学に当てはめると、農学科と農業経済学科の学生が在学の身分のまま陸海軍に入隊することになる。**表1**にある両学科の学生数には、この入隊者も含まれていると思われる。参考までに、東京大学史史料室が以前行った調査によると、農学部から四三年一二月に入隊した学生は一三四名となっている(12)。

三、垣間見える学徒動員の実態

以下本項では、本史料のなかから東京帝国大学農学部における学徒動員の実態が垣間見える文書を紹介する。

(一) 被動員者氏名・動員先

一九四四年七月一七日、「学徒出動者氏名報告ノ件」という文書によって、農学部から学内の軍事教官および学生課長宛に、出動者の氏名、学科、学年、出動先、出動の場所が報告されている[番号47]。また、八月一五日には追加の報告も送られている[番号61]。農学部に対する依頼文が本史料には綴じられていないので、この報告がどこからの依頼なのか、逆に言えば最終的にどこまで送られたのかは定かでないが、この段階での被動員者数および動員先が具体的に分かる貴重な資料である。

この両文書を数値化したのが**表3**であり、被動員者数の合計は二三〇名である。**表1**の在学生数と比較すると、一見して農学科と農業経済学科からの被動員者数が少ないことが分かる。繰り返しになるが、これは両学科の学生中に陸海軍に入隊した者が一定数いるからであろう。その他の五学科における被動員者の合計は二一七名となり、**表1**の五学科における在学生数から一年生(一九四四年度入学者)を減じた数である三

表3　東京帝国大学農学部学生被動員者数・動員先

学科＼動員先	学内動員	陸軍諸機関	海軍諸機関	軍需省醱酵研究所	農商務省試験場	林産試験場	東京営林局	水産試験場	埼玉県	千葉県	満洲	理化学研究所	日東理化学研究所	民間会社	計
農学科	5	0	0	0	2	0	0	0	2	0	0	0	0	0	9
農芸化学科	8	55	14	2	0	0	0	0	0	0	0	3	1	16	99
林学科	0	2	2	0	0	8	31	0	0	0	0	0	0	0	43
獣医学科	0	33	0	0	0	0	0	0	0	0	0	0	0	0	33
水産学科	4	15	0	0	0	0	0	1	0	0	0	0	0	2	22
農業経済学科	0	0	0	0	0	0	0	0	4	0	0	0	0	0	4
農業土木学科	3	2	0	0	0	0	0	0	0	5	10	0	0	0	20
計	20	107	16	2	2	8	31	1	6	5	10	3	1	18	230

※「学徒出動者氏名報告ノ件」[番号47]、「学徒動員者追加報告ノ件」[番号61] より作成した。
※学年の内訳は、３年生112名、２年生118名である。

六六名と合わせると、入営延期となった五学科における二年生以上の五九・三％が動員されている計算になる。

動員先としては陸軍が圧倒的に多い。ただ、学科によって陸軍内部での行き先に違いがあり、例えば獣医学科は全員陸軍獣医学校である。水産学科は陸軍技術研究所（一三名）が、農芸化学科は陸軍糧秣廠（四八名）が目立つ。農芸化学科は海軍も多いがそのうち八名は海軍燃料廠に動員されている。また、数は少ないが林学科から陸軍航空技術研究所と海軍航空技術廠に二名ずつ動員されているのも目を引く。陸海軍合わせると一二三名になり、被動員者総数二三〇名の五三・五％を占めていた。

陸海軍以外で注目されるのは、農業土木科から一〇名、満洲国に動員されていることである。これは、一九四四年六月一三日に満洲国大使館から文部省を通して依頼があり、農業土木科から一〇名選んで派遣した分と考えられる［番号16、21］。この時は、東大だけでなく京都帝国大学農学部、九州帝国大学農学部、東京農業大学専門部、さらに宇都宮・東京・三重・岐阜の各高等農林学校から合計一一六名が派遣され、南満洲鉄道株式会社、満洲畜産株式会社、満洲拓殖公社、興農合作社中央会、満洲農地開発公社に分かれて、技術指導や農地造成、測量設計などに当たっていた［番号35］。東大農学部からの一〇名は満洲農地開発公社の下で吉林省第二松花江地区において緊急農地造成の任に就いた[13]。

（二）科学研究要員の動員除外

一九四四年八月二三日、文部省科学局長と学徒動員本部第一部長より東京帝国大学総長宛に「科学研究要員トシテノ学徒ニ対シ勤労動員除外ノ件」が送られてきた［番号93］。これは、大学・専門学校の理科系二年生以上の学徒で「戦時研究員ノ補助員トシテ必要ナル学徒」「文部省科学研究動員下重要研究課題ノ研究補助員トシテ必要ナル学徒」「将来科学研究者タラントスル学徒ニシテ成績優秀ナル者」は、勤労動員から除外して研究に従事させることになったので、該当者がある場合は研究事項や学業成績を添えて申請せよとの内容であった。

右に対する農学部の回答は、一〇月六日に学生課長宛に送られている［番号105］。これによると、農学科五名、農芸化学科一六名、林学科一六名、獣医学科四名、農業土木科三名、水産学科七名の合計五一名が申請されている。彼らの学業成績は全員「優」、研究としては文部省科学研究によって行っている者が多いが、中には「特殊兵器ニ関スル研究」と記載されている学生（獣医学科）もいる。

この申請に対する文部省からの回答と思われる文書が一九四五年二月一日付の「科学研究要員トシテノ学徒ニ対シ勤労動員除外ノ件」である［番号112］。これによると、農学部から申請された五一名はすべて承認されている。なお、この文書には他学部で承認された人数も記載されており、理学部四五名、第一工学部一九八名、第二工学部二〇一名の学生が科学研究要員として勤労動員から除外されることが承認された。

同様の調査は一九四五年六月にも行われていて、五月七日付の大学本部からの依頼に対して、農学部は六月一三日、農学科五名、農芸化学科一六名、林学科一六名、獣医学科三名、水産学科八名、農業土木科四名の合計五二名を回答している［番号128］。前年の申請と比べると、農業土木科の一名を除きすべて別の学生である。これへの文部省からの回答は綴じられていないが、恐らくは回答が出る前に敗戦を迎えたのであろう。

（にしやま　しん・京都大学教授）

註

（1）福間敏矩『集成 学徒勤労動員』（ジャパン総研、二〇〇二年）四七九頁。

（2）同前、七一頁。

（3）「昭和十九年八月七日二宮文部大臣ニ面会報告セル原稿」（内田祥三関係史料『総長会議其他 其二』東京大学文書館所蔵、F0004/A/4/2）。

（4）「昭和二十年三月七日帝国大学総長会議」（内田祥三関係史料『総長会議其他 其二』東京大学文書館所蔵、F0004/A/4/2）。これに対し内田総長は、「勤労動員ニ付文部省ノ考慮セラレツ、アル点ニ感謝」しながらも「現在ノヤリ方デハ如何ニモ学力ガ不充分」と懸念を表明していた（同）。

（5）東京大学百年史編集委員会編『東京大学百年史 通史二』（東京大学出版会、一九八五年）八一五頁。

（6）前掲『集成 学徒勤労動員』二三九頁。

（7）同前、六八頁。

（8）『学徒動員・学徒出陣 制度と背景』（第一法規出版、一九八〇年）、前掲『集成 学徒勤労動員』。本史料に収載されている通牒類も、その多くは『集成 学徒勤労動員』に収録されている。

（9）東京大学史史料室編『東京大学の学徒動員・学徒出陣』（東京大学出版会、一九九八年）。

（10）立命館百年史編纂委員会編『立命館百年史 資料一』（二〇〇〇年）には、「中京方面出動学徒勤労状況視察報告」「豊川海軍工廠動員日誌」および豊川海軍工廠に動員された学生の日記が収録されている。また、大谷大学真宗総合研究所真宗学事研究班真宗学事史研究編『大谷大学百年史 資料編別冊 戦時体験集「勤労動員」・「学徒出陣」の記録』（二〇〇四年）では、卒業生に行ったアンケートの回答を編集している。

（11）詳細は、拙稿「徴集猶予停止に関するいくつかの問題について」（『京都大学大学文書館研究紀要』第一四号、二〇一六年三月）参照。

（12）前掲『東京大学の学徒動員・学徒出陣』八〇頁。

（13）この件については、『大学新聞』にも「文部省は大陸の農業開拓の技術的指導を行はしめるべく今回東大、京大、九大の農学部農業土木学科学生〇十名を満洲に派遣することに決定、一行は七月上旬出発、九月下旬まで満洲各地に別れ農業技術の指導に当る予定で近くその具体的細目が発表せられるはず」という記事が掲載されている（『大学新聞』一九四四年七月一日付、「〇」は本文のママ）。

東京帝国大学農学部　学徒動員関係史料　第1巻

昭和十九年度
學徒動員関係書類

東京帝国大学農学部学徒動員関係書類

目録

第一分冊

年月日	番号	
一九 五 一八	二	食糧増産隊幹部要員トシテノ学徒動員ニ関スル件 農商省農政局長・農業報告聯盟常務理事ヨリ 「食糧増産隊幹部要員動員計画」 「食糧増産隊幹部要員学徒準備訓練要綱」
一九 五 *	三	警戒警報発令ニヨリ五月二一日ノ試験延期（六月一日）ノ件
一九 五 一五	四	学徒勤労動員実施要領ニ関スル件 （五月四日 文部次官・学徒動員本部次長ヨリ）
一九 五 一五	五	工場事業場等学徒動員ノ受入側措置要綱ニ関スル件 （五月四日 文部省総務局長・学徒動員本部総務部長ヨリ） 「工場事業場学徒動員受入側措置要綱」
一九 五 二七	六	文部省大学課長 西崎恵へ 学徒勤労動員ニ関スル件（勤労動員先ノ希望）
一九 五 二九	七	文部省大学課長 西崎恵へ 学徒勤労動員ニ関スル件（勤労動員先ノ希望）
一九 五 一〇	八	学徒動員ニ関スル件 照会ト回答 陸軍経理学校ヨリ
一九 五 二九	九	食糧増産隊幹部トシテノ学徒動員ニ関スル件（番号一を含む） （五月二十日 文部省学徒動員本部第一部長ヨリ）
一九 五 *		学徒動員ノタメ身体検査結果表
一九 五 二四	一〇	学徒動員ニ関スル件 第一海軍衣糧廠ヨリ
一九 五 一六	一一	金澤幸三ニ軍現地自活向種苗ノ原種育成実施配置依頼ノ件 農商省園芸試験場種苗育成地ヨリ
一九 五 一五	一二	動員学徒ノ帰校方及其他取扱ニ関スル件照会 海軍航空技術廠総務部長ヨリ

一九　四三〇　一三　学徒動員ニ際シ外国人留日学徒ノ取扱ニ関スル件
（四月二四日　文部省専門教育局長ヨリ）
一九　五一二　一四　内地在学本島人理科系大学専門学校学徒勤労動員ニ関スル件　台湾総督府
東京出張所長ヨリ
一九　＊　一五　食糧増産土地改良事業実施勤労動員ニ参加礼状　中央農業会坂井忠正ヨリ
一九　六一三　一六　農業土木二年生十名学徒動員満洲ニ派遣ノ件（満洲ヨリ電文ニテ）
一九　六六　＊　学徒勤労動員出動者調査
一九　六六　一七　配給依頼ノ件
一九　六一〇　一八　農繁期食糧増産作業協力ノ為大学専門学校学徒動員割当ニ関スル件
（六月三日　学徒動員本部第一部長・文部省専門教育局長　永井浩ヨリ）
一九　六二一　一九　文部省大学課長　西崎恵へ　学徒動員ニ関スル件
一九　五二〇　二〇　工場事業場等学徒動員学校側措置要綱ニ関スル件
（五月一一日　文部省総務局長・学徒動員本部総務部長ヨリ）
「工場事業場等学徒勤労動員学校側措置要綱」
一九　六一七　＊　決戦非常措置ニ基ク学徒動員ニ関スル件
一九　六二二　二一　学徒動員（満洲国派遣）ニ関スル件
一九　六二二　二二　学徒動員ニ依ル学徒勤労報国隊（海軍委託学生生徒）ノ給与ニ関スル件
（六月十五日　第二海軍燃料廠総務部長ヨリ）
一九　六二二　二三　報賞受領者指定ノ件
（六月十七日　海軍航空技術廠総務部長ヨリ）
一九　六二〇　二四　海軍委託学生ノ出動ニ関スル件　軍需局第二課長　斎藤大佐宛
一九　六一五　二五　学徒勤労動員ノ受入ニ関スル件　陸軍獣医学校長　吉村市郎ヨリ
一九　六七　二六　学徒動員ニ伴フ経理部依託(ママ)学生実務実習ノ件
（六月二日　陸軍航空本部経理部長ヨリ）
一九　六七　二七　経理部委託学生ニ対スル旅費支給廰ノ件
（五月三一日　経理部依託学生取締将校陸軍主計大佐　石井恒吉ヨリ）
一九　五三〇　二八　学徒動員ニ伴フ経理依託学生ノ実務実習ノ件通牒　陸軍糧抹本廠長ヨリ

一九　六　二一　二九　学徒動員ニ伴フ陸軍獣医部依託学生生徒実習計画送付ノ件

（六月九日　陸軍獣医学校長ヨリ）

一九　六　二一　三〇　勤労動員先希望ニ関スル件

一九　六　七　三一　学校卒業者使用制限令適用ノ件

一九　六　二六　三二　獣医部依託学生生徒携帯品ニ関スル件

一九　六　二四　三三　農林関係学徒勤労動員ニ関スル件　満洲農地開発公社参事　杉崎靖ヨリ

一九　六　二二　三四　来年度卒業農科､獣医科学徒動員ニ関スル件　財団法人日満鉱工技術員協会

理事長　梅野實ヨリ　「渡満学徒輸送要領」

康徳一一　六　二四　三五　満洲派遣動員学徒ニ関スル件　駐日満洲国大使館参事官　桂定治郎ヨリ

一九　六　二九　三六　陸軍獣医部依託学生生徒実習開始期日ニ関スル件通牒

一九　六　九　三七　学徒動員ニ伴フ陸軍獣医部依託学生生徒実習計画送付ノ件通牒

「（秘）学徒動員ニ伴フ陸軍獣医部依託学生生徒実習計画」

一九　七　五　三八　一二三年在学者ノ学徒勤労動員ニ参加可能者氏名ニ関スル件

一九　六　二四　三九　来年度卒業農科､獣医科学徒動員ニ関スル件　財団法人日満鉱工技術員協会

理事長　梅野實ヨリ

一九　六　二八　四〇　学徒勤労動員ニ伴フ学徒ノ被保健者資格ニ関スル件

（六月二一日　学徒動員本部第三部長・文部省体育部長ヨリ）

（五月二二日　厚生省保健局長ヨリ）

第二分冊

一九　六　一七　四一　学徒勤労ノ出動督励ニ関スル件

（六月十日　学徒動員本部総務部長・第一部長ヨリ）

一九　七　一二　四二　学徒勤労動員受入側措置ニ関スル件　日満鉱工技術員協会　梅野實ヨリ

「鉱工関係学徒勤労動員受入側措置要領」

一九　五　二三　四三　動員学徒ノ工場通勤用定期券購入ニ関スル件

（五月一七日　学徒動員本部総務部長ヨリ）

一九　七　七　四四　動員学生ニ対スル学科講義ノ件

一九　六　三〇　四五　陸軍経理部委託学生ニ対スル学科講義ノ件
一九　六　二〇　四六　農繁期国民皆働動ニ協力スベキ学徒ノ鉄道運賃ニ関スル件
（六月七日　文部次官ヨリ）
一九　七　一七　四七　学徒出勤者氏名報告ノ件　学徒勤労動員調
一九　七　一〇　四八　工場事業場等勤労動員学徒用作業衣配給ニ関スル件
（六月二八日　農商省繊維局長・厚生省勤労局長・文部省総務局長ヨリ）
一九　七　　六　四九　学徒動員ニ伴フ経理部依託学生実務実習ノ件
（六月三十日　陸軍航空本部経理部長ヨリ）
一九　七　二二　五〇　学徒勤労動員ニ伴フ軍事教育ノ実施ニ関スル件
（七月八日　文部次官　菊池豊三郎ヨリ）
一九　七　一五　五一　学徒動員実施要綱ニ依リ動員中ノ学徒ノ体力検査ニ関スル件
（六月二九日　厚生省健民局長ヨリ）
一九　七　二一　五二　一三年相当学生ノ出動者氏名報告ニ関スル件
一九　七　一四　五三　学徒動員ニ伴フ獣医部依託学生生徒実習ニ関スル件　東京師団獣医部長
一九　七　　四　五四　学徒勤労動員間ノ指導ニ関スル件通牒　東部軍参謀長ヨリ
一九　七　二二　五五　学徒勤労動員ニ関スル件回答
一九　七　一二　五六　学徒勤労動員ニ関スル件照会　札幌地方燃料局長ヨリ
一九　七　一三　五七　動員学生ニ対スル学科講義出席ノ件回答　陸軍被服本廠長ヨリ
一九　七　一五　五八　学徒勤労動員委員ニ関スル件
一九　七　一七　　＊　陸軍省兵務局獣医課　荒井中佐ヨリ
「（秘）動員獣医学徒軍陣獣医学教育援助要綱案」
一九　八　　四　五九　学徒動員ニ関スル件
一九　八　　四　六〇　勤労動員学徒ニ対スル食糧配給ニ関スル件
（七月二二日　本郷区長山崎平吉ヨリ）
一九　八　一五　六一　学徒動員者追加報告ノ件
一九　六　一三　六二　学徒報国隊員居住関係調査ノ件
（五月三一日　文部省体育局長ヨリ）

一九　九　一二　七九　学徒動員三年相当学生帰校ニ関スル件　学徒動員三年相当学生調

一九　五　一〇　八〇　学徒動員本学受入レタル学徒ノ報償金贈与ノ件

一九　八　三〇　八一　動員学徒（三学年依託学生）帰校ノ件照会　陸軍航空技術廠総務部長ヨリ

一九　九　六　八二　学徒動員海軍依委託学生（生徒）三学年ノ復校ニ関スル件　第二海軍燃料廠総務部長ヨリ

一九　八　三一　八二　学徒勤労令施行ニ関スル件
（八月二五日　文部次官・厚生次官・軍需次官ヨリ）

一九　九　一二　八三　農業土木関係学科主任動員ニ関スル件

一九　七　一七　八四　学徒勤労動員出動者氏名報告ノ件

一九　九　八　八五　理科関係学科第二学年学徒動員ニ関スル件
（九月二日　文部省専門教育局長ヨリ）

一九　九　一五　八六　理科系学徒ニシテ十月二年生ニナル者ノ教育継続ニ関スル件
（九月十三日　文部省専門教育局長ヨリ）

一九　九　二六　八七　海軍依託学生復帰ニ関スル件通知　海軍省軍需局第二課ヨリ

一九　九　五　八八　勤労学生派遣ニ関スル件　北海道水産試験場長　大島幸吉ヨリ

第三分冊

一九　九　二一　八九　学徒勤労派遣責任教職員ノ指導ニ関スル件

一九　九　一三　九〇　学徒勤労派遣責任教職員ノ指導ニ関スル件　文部次官ヨリ

康徳一一　九　一六　九一　勤労動員学徒帰還ニ関スル件　満洲農地開発公社理事長　花井脩治ヨリ

一九　一〇　二　九二　勤労学徒勤務成績送付ノ件通牒　陸軍獣医学校長ヨリ

一九　八　二九　九三　科学研究員トシテノ学徒ニ対シ勤労動員除外ノ件
（八月二三日　文部省科学局長・学徒動員本部第一本部長ヨリ）
科学研究要員トシテノ学徒承認申請書

一九　一〇　二四　九四　学徒勤労動員実施状況報告ノ件
（十月一日　文部省学徒動員本部第一部長ヨリ）

一九　一〇　一三　九五　出陣学徒ニ関スル勤労機動配置非常対策ニ関スル件

一九　九　七　九六　勤労機動配置非常対策ニ関スル件
（九月三十日　文部次官ヨリ）
九月三十日　文部次官・厚生次官・労働次官ヨリ
「勤労機動配置非常対策ニ関スル件依命通牒（九月七日　厚生次官）」
「勤労機動配置非常対策ニ関スル件（九月四日　次官会議決定）」

一九　九一一　九七　勤労動員学徒ノ健康管理ニ関スル件
（九月三日　文部省体育局長・学徒動員本部第三部長ヨリ）

一九一一二一　九八　身体状況ニ依ル動員学徒措置要綱ニ関スル件
「身体状況ニ因ル(マヽ)動員除外措置要綱」

一九一一二五　九九　学徒動員実施調書ノ件

一九一一二五　一〇〇　動員実施並ニ除外調書ノ件

一九一一一三　一〇一　科学研究要員トシテ学徒ニ対シ勤労動員除外ニ関スル件

一九一一二〇　＊　学徒動員受入先調査

一九一一三〇　一〇二　食糧増産隊学徒動員ニ関スル件

一九一二　九　一〇三　学徒動員ニ伴フ事故防止並ニ報告ニ関スル件
（十一月一三日　学徒動員本部第三本部長ヨリ）

一九一二一一　一〇四　派遣学徒ノ「出勤表」提出期限励行ニ関スル件通牒
陸軍糧抹本廠研究部長ヨリ

一九一一三〇　＊　農業土木関係学徒動員ニ関スル件

一九一〇　六　一〇五　科学研究要員トシテノ学徒ニ対シ動員除外ノ件

二〇　一一七　一〇六　（秘）海軍依託学生勤労動員ニ関スル件照会　海軍航空本部総務部長ヨリ

二〇　一二〇　一〇七　陸軍技術部（航空関係）依託学生実習ニ関スル件通牒
陸軍航空本部総務部長ヨリ
「決戦非常措置要綱ニ基ク学徒動員態勢確立ニヨル技術部（航空）依託学生生徒実習並ニ取扱実施要領」

二〇　一二二　一〇八　理科系大学高等専門学校学徒ノ勤労動員時期等ニ関スル件
（一月一五日　文部省総務局長・厚生省勤労局長・軍需省総動員局長ヨリ）

一九　一二　二二　一〇九　勤労動員ト学校防空トノ再調整ニ属スル件
（一二月六日　文部省総務局長・防空総本部警防局長・内務省警保局長・厚生省勤労局長ヨリ）

二〇　一　一七　一一〇　工鉱関係及理科系大学学生第二学年ノ動員割当ニ関スル件　学徒動員本部第一本部長　関口勲ヨリ

二十　三　二十　＊　「農業土木関係学徒動員実施要領」

二〇　二　一五　一一一　科学研究要員トシテノ学徒ニ対シ勤労動員除外ノ件
　科学研究要員トシテノ勤労動員除外者氏名

二〇　二　七　一一二　科学研究要員トシテノ学徒ニ対シ勤労動員除外ノ件
（二月一日　文部省科学局長・学徒動員本部第一部長ヨリ）

二〇　四　一一　一一三　学徒動員出動希望上申ノ件

二〇　三　二七　一一四　満洲国留日学生ノ本国勤労動員実施ニ関スル件
（三月二〇日　文部省学徒動員本部第一部長ヨリ）

二〇　一　一一　一一五　動員学徒等救護ニ関スル件
（一二月二七日　文部次官ヨリ）
「動員学徒救護事業要綱」

二〇　一　七　一一六　緊急動員学徒ニ伴フ手荷物輸送ノ件
（一二月二七日　軍需省航空兵器総局総務局長ヨリ）
（一月二四日　文部省総務局長ヨリ）

二〇　四　＊　東京都疎開事業出動者

二〇　三　二三　一一七　東京都緊急建物疎開事務協力ノタメ学徒緊急動員割当ニ関スル件
「東京都緊急建物疎開事業実施要領」

二〇　五　七　＊　学校報国隊出動令書

二〇　三　二三　一一八　学徒勤労出動期間延長等ニ関スル件
（三月一七日　文部省総務局長ヨリ）

第四分冊

二〇 四 二八 一一九 大学専門学校林学科学徒動員ニ関スル件

二〇 四 二一 一二〇 軍需系依託学生出動時期ニ関スル件
(四月一三日 海軍依託学生生徒勤労動員ニ関スル件通牒 海軍省軍需局長ヨリ)

二〇 五 一四 一二一 食糧増産技術指導学徒動員ニ関スル件 農商省農政局農産課長ヨリ

二〇 三 一七 一二二 学徒勤労表彰ニ関スル件
(三月七日 文部省総務局長ヨリ)

二〇 五 一七 一二三 農業関係大学専門学校学徒通年動員ニ伴フ学校派遣教職員ノ指導旅費及手当交付ニ関スル件 農商省要員局長ヨリ

二〇 六 一 一二四 学校報国隊出動令書発令ニ関スル件

二〇 六 三 一二五 工場ニ於ケル学徒隊組織運営並ニ学徒勤労指導組織確立要綱ニ関スル件依命通牒 文部省総務局長・厚生省勤労局長・陸軍省総動員局長ヨリ
「工場ニ於ケル学徒隊組織運営並ニ学徒勤労指導組織確立要綱」

二〇 六 * 一二六 農業ニ関スル学徒勤労ノ強化刷新ニ関スル件
(五月二四日 文部次官ヨリ)
(五月二一日 次官会議決定 文部省・農商省・厚生省)

二〇 六 一五 一二七 空襲時動員学徒ノ配置転換等ニ関スル件
(五月一三日 厚生省勤労局長・文部省総務局長ヨリ)

二〇 六 一三 一二八 科学研究要員トシテノ学徒ニ対シ勤労動員除外ノ件
科学研究要員トシテノ勤労動員除外者氏名

二〇 五 七 一二九 科学研究要員トシテノ学徒ニ対シ勤労動員除外ノ件
科学研究要員トシテノ学徒承認申請書

二〇 六 二一 一三〇 援農出動学生数報告ノ件

二〇 六 二六 一三一 (秘)動員学徒(最高学年)帰校ノ件通知 第一海軍技術廠総務部長ヨリ

二〇 二 二三 一三二 大学理工科系第二学年学徒動員ニ関スル件
(二月一日 文部省学徒動員本部第一部長ヨリ)

二〇　六　二五　一三三　（秘）第三年海軍依託学生生徒動員解除ノ件　海軍航空本部総務部長ヨリ
二〇　六　二　一三四　身体検査施行ノ件
二〇　六　一三　一三五　科学研究要員トシテ勤労動員除外ノ件
二〇　八　三　一三六　動員解除申請ノ件
二〇　七　二一　一三七　援農動員指導教官出張日数報告ノ件

付録（書類の裏に印刷されていたもの）

通学証明書

東京帝国大学報国隊　農学部隊編成表（一部）

昭和二十年度第二期特別研究生候補者調査書（一部）

東京帝国大学奨学生共励会会則

学部共通細則（一部）

海軍航空技術廠　新規女子中等学校卒業生募集案内

昭和九年度

學徒動員關係書類

一九	五	二七	一	文部省學徒動員本部ヨリ食糧増産隊幹部トシテノ學徒動員ニ關スル件
〃	〃	八	二	農商省農政局長、農業報国聯盟常務理事ヨリ食糧増産幹部要員トシテノ學徒動員ニ關スル件
			三	警戒警報発令ニヨリ五月廿一日ノ試験延期（六月一日）ノ件
〃	〃	一五	四	東京帝国大學學生課長學徒勤労動員実施要領ニ關スル件
〃	〃	〃	五	學生課長大室貞一郎ヘ工場事業場等學徒動員受入側措置要綱ニ關スル件
〃	〃	二七	六	文部省大學課長西崎恵ヘ學徒勤労動員ニ關スル件
〃	〃	二九	七	文部省大學課長西崎恵ヘ學徒勤労動員ニ關スル件
〃	〃	三〇	八	陸軍經理學校ヨリ學徒動員ニ關スル件回答
〃	〃	二九	九	學生課長ヘ食糧増産隊幹部トシテノ學徒動員ニ關スル件
				學徒勤労動員ノ身体検査結果表

〃	〃	二四	一〇	第一海軍衣糧廠ヨリ学生動員ニ関スル件
〃			二	農商省園藝試験場種苗育成地（金澤市）ニ軍現地自活向種苗ノ原植育成実施配置依頼ノ件
〃	〃	一五	三	海軍航空技術廠総務部長ヨリ動員学徒ノ帰校及其ノ他取扱ニ関スル件懇會
〃	四	三〇	一三	学生課長大室貞一郎ノ学徒動員ニ際シ外国人留日学徒ノ取扱ニ関スル件
〃	五	八	一四	台湾総督府東京出張所長内地在学ノ本島人理科系ノ大学専門学校学徒勤労動員ニ関スル件
			一五	中央農業会酒井忠正ヨリ食糧増産土地改良事業実施勤労動員ニ参加礼状ノ件
〃	六	一三	一六	満洲ヨリ農業土木二年生十名学徒動員満洲ニ派遣ノ件電文ニテ

東京帝國大學

B列4

東東 1529

〃	〃	六	一七	配給依頼ノ件
〃	〃	一〇	一八	學生課長大室貞一郎ヨリ農林省食糧増産作業協力ノ為大學専門學校學徒動員割當ニ關スル件
〃	〃	二	一九	文部省大學課長西崎恵ヘ學徒動員ニ關スル件
〃	五	二〇	二〇	學生課長大室貞一郎ヘ工場事業場等學徒動員學校側措置要綱ニ關スル件
〃	六	三	二一	學徒動員ニ關スル件
〃	〃	〃	二二	第二海軍燃料廠総務部長ヨリ學徒動員ニ依ル學徒勤務報國隊ノ海軍委託學生（生徒）ノ給與ニ關スル件回答
〃	〃	〃	二三	海軍航空技術廠総務部長ヨリ致賞受領者指定件照會
〃	〃	二〇	二四	軍需局第二課長ヨリ海軍委託學生ノ出動ニ關スル件
〃	〃	五	二五	陸軍獣醫學校長ヨリ學徒勤勞動員免除ニ關スル件

年	月	日	番号	件名
〃	〃	七	二六	~~陸軍航空本部經理部長ヨリ~~庶務課長ヨリ 學徒動員ニ伴フ經理部依託學生実務実習ノ件
〃	〃	〃	二七	庶務課長ヨリ 經理部依託學生取締將校陸軍主計大佐石井恒吉經理部依託學生ニ對スル旅費支給願ノ件
〃	五	三〇	二八	陸軍糧秣本廠長ヨリ學徒動員ニ伴フ經理依託學生ノ実務実習件通牒
〃	六	二一	二九	陸軍獣醫學校長ヨリ學徒動員ニ伴フ陸軍獣醫部依託學生々徒実習計畫送付ノ件通牒
〃	〃	〃	三〇	學生課長ヨリ勤勞動員先希望ニ關スル件
一九	六	七	三一	学校卒業者使用制限令適用ノ件
一九	六	二六	三二	獣醫部依託學生生徒携行品ニ関スル件
一九	六	二四	三三	農林関係學徒勤勞動員ニ関スル件
一九	六	二二	三四	來年度卒業農科、獣医科学徒動員ニ関スル件
一九	六	二四	三五	満洲派遣動員學徒ニ関スル件

一九	六	二九	三六	陸軍獣医部依託学生生徒実習開始期日ニ関スル件通牒
一九	六	九	三七	学徒動員ニ伴フ陸軍獣医部依託学生生徒実習計画送付ノ件通牒
一九	七	五	三八	一・二・三年在学者ノ学徒勤労動員ニ参加可能者氏名ニ関スル件
一九	六	二四	三九	来年度卒業農科、獣医科学徒動員ニ関スル件
一九	六	二八	四〇	学徒勤労動員ニ伴フ学徒ノ被保険者資格ニ関スル件
一九	六	二七	四一	学徒勤労ノ出動督励ニ関スル件
一九	七	二二	四二	学徒勤労動員受入側措置ニ関スル件
一九	五	二三	四三	動員学徒ノ工場通勤用定期券購入等ニ関スル件
一九	七	七	四四	動員学生ニ対スル学科講義ノ件
一九	六	三〇	四五	陸軍経理部委託学生ニ対スル学科講義ノ件
一九	六	二〇	四六	農繁期国民皆働運動ニ協力スベキ学徒ノ鉄道運賃ニ関スル件
一九	七	二七	四七	学徒出動者氏名報告ノ件

年	月	日	番号	件名
一九	七	一〇	四八	工場事業場等勤労動員学徒用作業衣配給ニ関スル件
一九	七	六	四九	學徒動員ニ伴フ経理部依託学生實務實習ノ件
一九	七	二二	五〇	學徒勤労動員ニ伴フ軍事教官ノ實施ニ関スル件
一九	七	一五	五一	學徒動員實施要綱ニ依リ動員中ノ學徒ノ体力検査ニ関スル件
一九	七	二一	五二	一・三年相當学生ノ出動者氏名報告ニ関スル件
一九	七	一四	五三	学徒動員ニ伴フ獣醫部依託学生生徒實習ニ関スル件
一九	七	四	五四	學徒勤労動員ノ指導ニ関スル件通牒
一九	七	三	五五	学徒勤労動員ニ関スル件回答
一九	七	一二	五六	学徒勤労動員ニ関スル件照会
一九	七	一三	五七	動員学生ニ対スル学科講義出席ノ件回答
一九	七	一五	五八	学徒勤労動員委員ニ関スル件
一九	八	四	五九	学徒動員ニ関スル件

一九	八	四	六〇	勤労動員学徒ニ対スル食糧配給ニ関スル件
一九	八	一五	六一	学徒動員者追加報告ノ件
一九	六	一三	六二	学徒報国隊員居住関係調査ノ件
一九	七	二〇	六三	学徒勤労動員状況月報記載方ニ関スル件
一九	七	一七	六四	農学部第三学年学徒出動配属割当
一九	八	一二	六五	勤労学徒ノ休養睡眠並ニ宿泊清掃ニ関スル件
康徳一一	八	十六	六六	勤労動員学徒疾病ニ関スル報告ノ件
一九	八	一三	六七	農林水産業ニ対スル学徒勤労動員受入側及学校側措置ニ関スル件
一九	九	四	六八	動員学徒ノ勤労状況調査ノ件
一九	八	四	六九	依託学生生徒ノ軍事教育ニ関スル件ノ通牒
一九	八	一八	七〇	動員中ノ依託学生生徒復学ニ関スル件
一九	七	二九	七一	食糧増産隊配属学徒見習幹部ニ関スル件

東京帝國大學

一九	七	二九	七二	獣医学徒勤労動員業務等視察ニ関スル件通牒
一九	八	四	七三	学徒勤員ニ関スル件
一九	八	一七	七四	勤労動員学徒ニ関スル挨拶ノ件
一九	七	二四	七五	勤労動員学徒ニ対スル主要食糧ノ配給ニ関スル件
一九	八	四	七六	学徒勤員ニ伴フ事故防止ニ就テ警告ニ関スル件
一九	八	八	七七	軍作業廠学徒動員受入側措置ニ関スル件
一九	八	一三	七八	学徒動員勤労令施行ニ関スル件
一九	九	一二	七九	学徒動員「三年相当学生」帰校ニ関スル件
一九	五	一〇	八〇	学徒動員本学受入ルル学徒ノ報償金贈与ノ件
一九	八	三〇	八一	動員学徒（三年依託学生）帰校ノ件照会
一九	九	六	八三	学徒動員海軍依託学生（生徒）三学年ノ復校ニ関スル件 第二海軍燃料廠
一九	九八	三一	八二	学徒勤労令施行ニ関スル件

年	月日	番号	件名
一九	九・一二	八三	農業土木関係学科主任動員ニ関スル件
一九	七・一七	八四	学徒勤労動員出動者氏名報告ノ件
一九	九・一八	八五	理工科関係学科第二学年学徒動員ニ関スル件
一九	九・一五	八六	理科系学徒ニシテ十月二年生ニナル者ノ教育継続ニ関スル件
一九	九・二六	八七	海軍依託学生復帰ニ関スル件通知
一九	九・五	八八	勤労学生派遣ニ関スル件
一九	九・二二	八九	學徒勤労派遣責任教職員指導ニ関スル件
一九	九・一三	九〇	学徒勤労派遣責任教職員ノ指導ニ関スル件
康徳十一	九・一六	九一	勤労動員学徒帰還ニ関スル件
一九	一〇・二	九二	勤労学徒勤務成績送付ノ件通牒
一九	八・二九	九三	科学研究員トシテノ學徒ニ対シ勤労動員除外ノ件
一九	一〇・二四	九四	学徒勤労動員實施状況報告ノ件

年	月	日	番号	件名
一九	一〇	三	九五	出陣学徒ニ関スル勤労機動配置非常対策ニ関スル件
一九	九	七	九六	勤労機動配置非常対策ニ関スル件依命通牒
一九	九	二一	九七	勤労動員学徒ノ健康管理ニ関スル件
一九	一一	二一	九八	身体状況ニ依ル動員学徒措置要綱ニ関スル件
一九	一一	二五	九九	学徒動員実施調書ノ件
一九	一一	二五	一〇〇	動員ノ実施並ニ除外調書ノ件
一九	一二	一三	一〇一	科学研究要員トシテノ学徒ニ対シ勤労動員除外ニ関スル件
一九	一二	二〇	一〇二	「食糧増産隊学徒動員ニ関スル件
一九	一二	九	一〇三	学徒動員ニ伴フ事故防止並ニ報告ニ関スル件
一九	一二	一二	一〇四	派遣学徒ノ「出勤表」提出期限励行ニ関スル件通牒
一九	一〇	六	一〇五	科学研究要員トシテノ学徒ニ対シ動員除外ノ件
二〇	一	一七	一〇六	海軍依託学生勤労動員ニ関スル件照会

B列4

東京1529

年	月	日	番号	件名
二〇	一	二〇	一〇七	陸軍技術部ヨリ航空ノ依託学生実習ニ関スル件通牒
二〇	一	二二	一〇八	理科系大学高等専門学校学徒ノ勤労動員時期等ニ関スル件
一九	一二	二二	一〇九	勤労動員ト学校防空トノ再調整ニ関スル件
二〇	一	一七	一一〇	工鉱関係及理科系大学生第二学年ノ動員割当ニ関スル件
二〇	二	一五	一一一	科学研究要員トシテノ学徒ニ対シ勤労動員除外ノ件
二〇	二	七	一一二	科学研究員トシテノ学徒ニ対シ勤労動員除外ノ件
二〇	四	一一	一一三	学徒勤労動員出動希望上申ノ件
二〇	三	二七	一一四	（満州国）留日学生ノ本邦女子勤労動員実施ニ関スル件
二〇	一	一	一一五	動員学徒等援護ニ関スル件
二〇	一	七	一一六	緊急動員学徒ノ手荷物輸送ノ件
二〇	三	二三	一一七	東京都緊急建物疎開事務協力ノ為メ学徒緊急動員割当二関スル件
二〇	三	二三	一一八	学徒勤労出動期間延長等ニ関スル件

東京帝國大學

年	月	日	番号	件名
二〇	四	二八	一一九	大学専門学校林学科学徒動員ニ関スル件
二〇	四	二一	一二〇	軍需系依託学生出動時期ニ関スル件
二〇	五	一〇	一二一	食糧増産技術指導学徒動員ニ関スル件
二〇	三	一七	一二二	学徒勤労表彰ニ関スル件
二〇	五	一七	一二三	農業関係大学専門学校学徒通年動員ニ伴フ学校派遣教職員ノ指導旅費及手当支給ニ関スル件
二〇	六	一	一二四	学校報国隊出動令書発令ニ関スル件
二〇	六	三	一二五	工場ニ於ケル学徒隊組織運営並ニ学徒勤労指導組織確立要綱ニ関スル件 依命通牒
二〇	六		一二六	農業ニ関スル学徒勤労ノ強化刷新ニ関スル件
二〇	六	五	一二七	空襲時動員学徒ノ配置転換等ニ関スル件
二〇	六	一三	一二八	科学研究要員トシテノ学徒ニ対シ勤労動員除外ノ件
二〇	五	七	一二九	科学研究要員トシテノ学徒ニ対シ勤労動員除外ノ件
二〇	六	二一	一三〇	援農出動学徒数報告ノ件

B 列 4

東京 1529

年	月	日	番号	件名
二〇	六	二六	一三一	動員学徒（最高学年）帰校ノ件
二〇	二	二三	一三二	大学理工学部科系第二学年学徒動員ニ関スル件
二〇	六	一五	一三三	第三年海軍依託学生生徒動員解除ノ件通知
二〇	六	二	一三四	身体検査施行ノ件
二〇	六	一三	一三五	科学研究要員トシテ勤務者ノ動員除外ノ件
二〇	八	三	一三六	動員解除申請ノ件
二〇	七	二一	一三七	援農動員指導教官出張日数報告ノ件

農學部 受付 二三三號

一九農局第一八七六號

昭和十九年五月十八日

農商省 農政局長

農業報國聯盟 常務理事

東京帝國大學農學部長 殿

食糧増産隊幹部要員トシテノ學徒動員ニ關スル件

昭和十九年三月七日閣議決定決戰非常措置要綱ニ基ク學徒動員實施要綱ニ依リ食糧増産學徒動員ノ一環トシテ農業關係大學專門學校學

2 徒ヲ農商省農業報國聯盟共同主催ノ下ニ目下編成實施中ノ食糧増産

隊幹部トシテ動員スルコトト相成文部省ヨリ貴學（校）ニ宛通牒相成

候ニ付テハ別紙計畫御含ノ上學徒出動方可然御配慮相煩度此段及依

願候也

追テ食糧増産隊ニ關シテハ別紙關係資料（昭和十八年十二月二十八日閣議決定食糧自給態勢強化對策要綱、食糧増産隊要綱、全各都道府縣別隊員割當數等）ニ依リ御了知相成度候

尚宿舎食事等ノ準備ノ都合有之候ニ付貴學（校）出動人員ヲ五月二十五日迄ニ電報ヲ以テ長野縣諏訪郡原村、（玉川局區内）八ケ岳中央修錬農場學徒訓練本部宛御通知相煩度申添候

食糧增産隊幹部要員學徒動員計畫

一、趣旨

決戰非常措置要綱ニ基ク學徒動員實施要綱ニ依リ食糧增産學徒動員ノ一環トシテ農業關係大學專門學校、學徒ノ一部ヲ動員シテ一定ノ準備訓練ノ後食糧增産隊幹部トシテ各都道府縣大隊ニ配屬シ食糧增産ニ寄與セシメントス

二、動員ノ範圍

動員ノ範圍ハ農業關係大學專門學校學徒（農藝化學、纖維化學、蠶糸、林學、水産、農業土木、獸醫各科專攻ノ者ヲ除ク）ニシテ心身健全ニシテ共同生活ニ堪エ得ル次學年生全員（希望ニ依リ最高學年生ヲ參加セシムルコトヲ得）トシ總員約六百名ヲ豫定ス

三、動員期間

五月下旬ヨリ明年三月末迄ノ間ニ於テ概ネ六ケ月間トス（最高學年生ニ在リテハ卒業迄）

四、準備訓練

幹部トシテ心得ベキ食糧増産隊ノ趣旨ノ徹底及集團作業指揮ノ演練ヲ目的トシ別紙食糧増産隊幹部要員學徒準備訓練要綱ニ依リ五月二十八日ヨリ三週間長野縣諏訪郡原村所在八ケ岳中央修錬農場ニ於テ準備訓練ヲ實施ス

五、配屬

各學校別ニ擔當地域（都道府縣）ヲ定メ準備訓練終了後ハ食糧増産隊各都道府縣大隊見習幹部トシテ配屬シ食糧増産上最モ緊要ナル農耕、土地改良等ノ集團作業指揮其他隊務ヲ擔當セシムルモノトス但シ配屬時都道府縣大隊ニ於テ農繁期歸鄕中ナル場合ハ直轄部隊ヲ編成シ特別訓練ヲ實施スルコトアルベシ

六、給與及經費

イ、旅費、食費、宿舍費、醫療救恤費ハ之ヲ給與ス

ロ、月手當拾圓程度ヲ支給ス

ハ、戰鬪帽、卷脚絆、地下足袋、手套、農具、水筒、辨當箱食器等ハ配屬後各都道府縣農業報國聯盟支部ヨリ貸與セシム

ニ、其ノ他動員ニ必要ナル經費ハ[illegible]農業報國聯盟ニ於テ之ヲ負擔ス

七、本動員計畫受入ニ關スル事務ハ東京都麴町區大手町農商省分室農業報國聯盟內食糧增產隊本部ニ於テ行フモノトス

食糧増産隊幹部要員學徒準備訓練要綱

一、目的

學徒ヲ食糧増産隊幹部トシテ動員スル為食糧増産隊ノ使命及ビ部隊指揮ノ演練ヲ目的トシ訓練ヲ實施セントス

二、動員ノ範圍及ビ員數

農業關係大學專門學校學徒（農藝化學、織維化學、蠶糸、林學、水産、農業土木、獸醫各學科專攻ノ者ヲ除ク）ニシテ心身健全、集團作業、共同生活ニ堪エ得ルモノ約六〇〇名トス

三、主体

農商省、文部省ヘ農業報國聯盟

四、訓練期間

自 五月二十八日
至 六月十七日 三週間（集合解散ヲ含ム）

訓練修了後食糧增産隊各都道府縣大隊ニ見習幹部トシテ配屬スルモノトシ配屬時都道府縣大隊ニ於テ農繁期歸鄕中ノ場合ハ直轄部隊ヲ編成シ作業訓練ヲ實施スルコトアルベシ

五、訓練場所

長野縣諏訪郡原村（玉川郵便局區内）

八ヶ岳中央修錬農場　中央線茅野驛下車（農場迄徒歩約三里）

六、編成

㈠訓練本部

本訓練ノ爲訓練本部ヲ設置ス

(二)中隊

全員ヲ五ケ中隊トシ中隊長及中隊附ハ訓練本部員ヲ以テ充ツ

(三)小隊

學校ヲ單位トシ約四〇名ヲ以テ一ケ小隊ヲ編成ス

小(分)隊長ハ學生交代服務スルモノトス

七、訓練

訓練期間ヲ大約三週ニ分チ

第一週ハ食糧増産隊ト學徒ノ使命觀ノ確立、集團生活ノ基礎的訓練、作業各個訓練

第二週ハ國情ノ認識ト部隊訓練及部隊指揮

第三週ハ綜合訓練ヲ實施シ以テ食糧増産隊幹部トシテ必要ナル

指揮能力ヲ練磨ス

右訓練大要ニ基キ左ノ内容ヲ實施ス

行事、訓話、講話

作業（各個訓練、部隊訓練）

座談會、研究會

其ノ他

八、訓話、講話

訓　示　　内田農商大臣

訓　示　　岡部文部大臣

食糧増産隊ノ使命　　石黒農報聯理事長

皇國農民精神　　加藤内原訓練所長

戰時下ノ食糧政策　　坂　　農商省農政局長

食糧增產ト學徒使命　　文部省專門教育局長

現下ノ食糧事情　　水川農報聯參與

戰爭ト食糧　　陸軍

同　　海軍

工事ノ見積設計

農具ノ機能及使用上ノ注意

增產隊ノ活動狀況

右ノ外時宜ニ應ジ農商省、農報聯官吏職員其ノ他ノ講話ヲ行フ。

九、作業及作業指揮

主要ナル作業ハ開墾、土地改良、農耕等食糧增產上緊要ナルモノヲ

選定ス
集團作業ニ於テハ部隊指揮ノ演練ヲ實施ス
作業ハ「皇國農民集團作業操典案」ニ基キ各個訓練ヨリ部隊訓練ニ至ル。
作業指揮ノ演練ハ小分隊長トシテ學生交互ニ之ヲ實施セシムルモノトス
一〇、集合ニ關スル注意
(一)服裝
卷脚絆、地下足袋（運動靴）作業服等ヲ着用シ農耕作業ニ差支ヘナキ服裝トス
(二)携行品
各自米一升（訓練中ノ食糧トシ代價ハ本部ニ於テ負擔ス）

背負袋、水筒、飯盒又ハ辨當箱、印鑑、石鹸、洗面具、雑記帳筆記具、塵紙、手拭、シャツ、フンドシ、下駄又ハ代用品、寢巻、切手ハガキ類、持薬等（高冷地ニテ寒キコトアリスエーター又ハ冬シャツ一枚持参ヲ可トス）

(三) 身体検査

出發前身体検査ヲ行ヒ作業及集團生活ニ差支ヘアル者ハ参加セザルコト

(四) 入所及乗車注意

イ.所定ノ輸送ダイヤニ依リ團体乗車ヲナスコト　但シ京都帝大ハ人員ノ都合ニ依リ團体取扱ヲナサヾルニ付各個乗車トシ九

州帝大ハ福岡拓専ト同一ダイヤ（乗車券モ同一乗車券）ニヨルコト

輸送ダイヤハ五月二十二日決定ノ上電報ニテ通知ス（現地到着ハ五月二十七日又ハ二十八日ノ見込）

2.團体乗車ノ名目ハ農業増産報國推進隊幹部輸送トシ乗車券ハ東亜交通公社ニテ立替拂ヒヲナスニ付東亜交通公社（東京）及同社各地方出張所ヨリ乗車券ヲ受領スルコト

（京都帝大ハ入所後本部ニ於テ料金ヲ交付スルヲ以テ立替支拂シ置クコト）

3.下車驛ハ中央線茅野驛トスルコト

4.辨當ハ八ケ岳到着當日ノ晝食マデ各自ニ於テ適宜準備スルコト（但シ北大ハ福島以南、鹿兒島、宮崎、九州、鳥取ハ名古屋以東分ニ付キ辨當ヲ手配ス尚ホ細部ニ關シテハダイヤ決定ト同時通知ス）

5.茅野驛下車ノ上驛前受付ニ連絡シ其指示ヲ受クルコト

以上

食糧増産隊

三萬の青少年 隨時隨處に出動

農政局長　石井英之助

戦局の進展につれて各方面の経済事情は愈々窮屈となり本年度は南方からの外米輸入を計画に入れることは許されずして食糧事情は容易ならざるものである。何んとしても日満を通ずる食糧自給の態勢を確立して此の決戦の段階を突破して行かねばならぬ。日本国民は何如なる事態にならうともへこたれぬ強い気魄を持つてゐるのであるが、食糧の関係から国民の体位が低下し、活動が鈍つて戦力に影響する様なことが起つてはならぬ。これには先づ食糧である。食糧を確保して強力に頑張りを続けることである。

そこで今年度の内地の食糧増産こそは航空機の増産と相並んで戦局を左右する重大問題である。国民は諸力を挙げてこの目的達成に必死の努力を以て邁進しなければならない。農商大臣は議会で食糧に不安なしといはれたが、之は農村に於ては最善の努力を盡くし消費の規正に極力努め戦時生活を実践することを前提とするのであつて、決して楽な不安なしでないことは申す迄もないのである。

この重大な食糧増産確保の第一の要件は農村労力の問題である。

然るに此の点について従来動々もすれば農村労力の弾力性を過大視し、楽な考へ方で農村労力の他産業への移動が秩序なく行はれる傾向が強く各種の方策を施せるに拘らず近来農村労力流出の実情は増産確保上憂ふべき事態となつて来たのである。そして農業者が農村に留つて農業に専念するの意気にも悪影響を与ふる様な事情になつた。かくして増産上の諸対策を強力に推進する為には是非とも労力関係を中心とする基本的な態勢強化の手段を講ずることが緊要となつて十二月末閣議で食糧自給強化対策要綱の決定を見た次第である。

農村後継者の保持養成へ

食糧自給強化対策の**第一は**農業要員制度である。これは食糧生産の基本たる農業者をして食糧増産に対する国家的意識を昂揚して責任と矜持を以て農業に精進して貰ふ趣旨から之等の農業者を行政面に於て、戦時農業要員として指定し、これをして戦時中充分に生産力を発揮すべき農業経営を維持せしめ他の職業に転ずる場合に於ては行政庁の承認を要するものとすると共に之等の者に対しては徴用より除外することとしたのである。この指定を受くべき農業者の範囲は従来農業生産の統制令の範囲、即ち三反歩以上の農業経営主及年九十日以上農業に従事するその世帯員に付き行政庁が指定するのである。なほ村に於て食糧増産指導上缺くべからざる技術を擁有する者即ち農業会の技術員、部落農業団体の技術等重要な技術を持つ者に付いても右に準じて戦時農業要員の指定を為す予定である。

対策の**第二は**増産確保に関する組織の整備である。即ち部落又は農業実行組合の範囲を以て、農家をして増産班を組成せしめ、班長はその班における増産確保の責任者たらしめ農業会長、市町村長等と緊密なる連絡の下に責任を以て増産確保上必要な措置を講ぜしむることとしたのである。

しかして部内に於て労力の関係上所期の生産を確保し難いと認められる場合には直ちに道府県又は道府県農業会に連絡して指示を受けなければならない。斯くの如き場合に随時必要なる労力を補給し所期の生産計画を完遂する為めの組織として食糧増産隊の編成を飛躍的に拡充することになつたのである。

食糧増産隊は昨年八月全国に於て四万名を編成し内原における一ヶ月の訓練の後、各道府県において農耕、土地改良等食糧増産上必要なる作業に随時出動し多大の成果を納めつゝあるのであるが、本年度は之を一躍三万名に拡充することとした。食糧増産隊の各県における活動は単に労力の補給として役立つのみならず、その規律ある真摯なる作業振りがその地方農民に多大の精神的影響を与へ、随所に農業増産報国の熱烈なる機運を捲起しつゝあるのであるが、同時に此の作業が隊員に採つて得難い錬成の機会となつてゐるのであつて、将来皇国農村を背負つて行くべき中堅農家後継者の養成的見地からも頗る重要な施設である。この農村後継者の保持養成といふことが増産隊編成の一つの大きな眼目なのである。

隊員資格 満十四歳—十九歳 徴用から除外

隊員の資格は満十四歳以上十九歳以下の農村青少年であるが、本年は三萬人の多数の隊員を編成することでもあり、隊員の相当部分は新規国民学校卒業者の中より選定することとなろう。従つて今回の増産隊においては作業と共に教育訓練に付いても充分に考慮を払ひ皇国農民精神の錬成陶冶、武道、教練その他農学及技能的学習、通学に就ても時節柄出来る限りの方式を以て能ふ限りの充実せる教育を実施し、皇国農民として恥しからざる人物養成に資する考へである。なほ本隊は右の如き食糧増産上重要なる組織であるから、その隊員については他の産業への徴用等は之を為さざる方針で適当に措置することとなつてゐる。

乙種増産隊 各市町村に編成

なほ右の食糧増産隊に参加し得ざる青少年にして農村に留るべきものに付いては、これを乙種食糧増産隊として市町村別に編成し、適当なる集団訓練を施すと共に年ヶ月程度……

農耕、土地改良等に動員することとしたのである。

以上の如く、今回の対策は他に農地に関する統制の問題もあるが、要は農業要員制度によつて農村における中堅分子を確保し之を中核として各部落に増産班を編成しその責任において生産を確保せしめ、……場合に於ては食糧増産隊を臨時動員し……一層組織……食糧自給態勢……んとするのが……食糧増産隊……於ても特に……

食糧増産隊

一、趣旨

戦時下食糧自給の絶対的要請に鑑みると共に皇国農村の剛健なる後継者を養成する目的を以て将来農業を営むべき農村青少年を隊組織に編成し教育訓練を実施すると共に農村の要請に即応して随時随所に出動し農耕、土地改良等に挺身せしめ以て食糧増産に寄与せしめんとす

二、種類

甲種、乙種

三、編成及訓練

（一）甲種食糧増産隊

一、員数　三〇、〇〇〇人

二、隊員資格

イ　満十四歳以上十九歳以下の男子

ロ　農家の後継者たるべきもの

ハ　心身健全にして集団勤労に耐え得るもの

三、募集

各都道府県に於て別記割当員数を募集す

四、編成

員数に應じ適宜の隊編成を為すものとし其の編成に應じ夫々責任隊長を置く

五、幹部

イ　隊幹部は推進隊訓練所に於て推進隊訓練を修了せる者又は推進隊訓練所職員若は所定の幹部訓練を修了せる者にして青少年を訓育するの識見を有し隊を統率する資力有る者を以て之に充て都道府県隊長は推進隊内の長又は都道府県職員、農業報国聯盟職員若は適當なる専任者を以て之に充つ

ロ　昭和十九年度幹部一七三〇名は昭和十九年三月一日より一ヶ月間内原訓練所に於て訓練を行ふ

ハ　幹部は農業報国聯盟支部職員とす

六、期間

四月一日より一ヶ年とす（一時帰郷せしむることを得）

七、訓練

イ　都道府県に於て……用して訓練を……

ロ　教育訓練……精神の錬成……、学及農業実習……相当時間数課す

ハ　教育訓練を行ふの外、官を置き之に……ものとす

八、作業

都道府県内外……し、食糧増産……

九、給与

イ　旅費、食……

ロ　隊員被服費は……円手当……

都道府県	員数
北海道	一、九〇〇
青森	七五〇
岩手	七五〇
宮城	七〇〇
秋田	七〇〇
山形	七〇〇
福島	九〇〇
茨城	七五〇
栃木	七五〇
群馬	七〇〇
埼玉	七六〇
千葉	六〇〇
東京	二〇〇
神奈川	三五〇

食糧……

食糧自給態勢強化対策要綱（昭和十八年十二月二十八日閣議決定）

一　方針

日満を通じ国民食糧を確保するの緊要性愈々緊切なるものあるに鑑み土地利用の徹底的強化、技術指導の刷新充実、農地改良事業の急速実施等の既定諸方策その他食糧増産に資すべき有ゆる方途を強力に推進するの外食糧自給態勢の強化を期し更に左の対策を講ずるものとす

二　要領

（一）農業要員の指定

戦時食糧増産確保上農業者をして食糧生産に対する国家的意識を昂揚し責任と矜持を以て農耕に専念邁進せしむる為左の措置を講ずること

（イ）基本たる農家の経営主及其の世帯に属する農業従事者（経営耕地の面積、耕作物の種類により必要なる基準を定む）は戦時農業要員として行政庁之を指定すること

（ロ）戦時農業要員は戦時中充分に生産力を発揮すべき農業経営を維持する責務を負ふものとし他の職業に転ずる場合は行政庁の承認を要するものとすること

（註）戦時農業要員は……を受け得る者に付其の資格に即し之を指定するものとし徴用より之を除外する取扱を為すこと……の措置に関する措置は本……措置に関し……

（ハ）……農村に於ける食糧増産指導上缺くべからざる……者に付ても右に準じ戦時農業要員として指定すること

（ニ）……農繁期の間に於ける季節的の労務移動に付適切なる調整の措置を講ずること

（二）増産確保に関する組織の整備

（イ）原則として部落又は農業実行組合の範囲により地域内の農家をして増産班を組成せしむること

各班に班長を置き常時部落に於ける増産確保の責任者たらしめ農業会長、市町村長等と連絡を密にし緊密に班内の増産確保上必要なる措置を講ずる責務あるものとし班長に対しては一定の手当を支給することとすること

（ロ）道府県及中央に於て食糧増産隊の編成を拡充し農村の要請に應じ随時随所に出動せしむること　増産隊の編成に付ては将来農村に於ける後継者の確保に努むること

（三）農地に関する統制

（イ）農地の転用、農地の売買、賃貸借契約の締結、解約及更新の規制は戦時中……

……総て行政庁の……ものとすること

（ロ）行政庁は生産力の発揮……付ても食糧増産……あると認むる……等の場合……より強制……に関し適当なる……こと

……本対策の運用……に当り……市町村……会及其の……めの……

所期の　と共に　ねざる　糧増産　るせい　り全國　確立せ　の大き　ゐる、　の中に　なる一

環として政府としては大いに之を重視してゐる次第である三萬人の多數の編成は必ずしも容易ではないと思はれるのであるが、右の如き國家要請を充分に理解し將來農村を背負ふべき青少年が振つてこれに參加されることを切望して已まない次第である

要綱

し期間は　緊期には　）但隊員　在隊する　縣農山若　る施設を利　するものと

給す但し農繁歸郷中を除く

ヘ　戰鬪帽、脚絆地下足袋、手套等支給す

ニ　農具、水筒、辨當箱食器等を貸與す

（二）乙種食糧増産隊

一、隊員資格

イ　農業に留むべき國民學校修了の男子及び女子にして原則として修了後二年以内のもの

ロ　心身健全にして集團勞務に耐へ得るもの

二、編成

市町村單位に隊を設けその員數により適當なる編成を爲す

三、期間

一ヶ年とす

四、訓練及作業

集團訓練を實施し原則として三ヶ月程度食糧増産作業に動員するものとす

（備考）食糧増産隊幹部要員の[illegible]昭和十九年度[illegible]農學校、中學校等の卒業生及之が幹部たるべきものを募集し訓練を行ふ豫定とす

は國農民　治を主眼と　普通學、農　、教練等を　するものと　は隊幹部之　相當數の教　當らしむる　合地に出動　[illegible]　程度を支　を給與す　費、宿舍費

…増産隊隊員・都道府縣割當（甲種）

東京隊	[illegible]	一一
新潟	九〇〇	一五
富山	六〇〇	一一
石川	六〇〇	九
福井	四五〇	九
山梨	四五〇	九
長野	九〇〇	一六
岐阜	七五〇	一一
靜岡	七五〇	九
愛知	七五〇	一一
三重	六〇〇	一一
滋賀	六〇〇	九
京都	六〇〇	九
大阪	一二〇〇	四
兵庫	九〇〇	一五
奈良	四五〇	八
和歌山	四五〇	六
鳥取	四五〇	六
島根	六〇〇	六
岡山	七五〇	一六
廣島	七五〇	一四
山口	四五〇	六
徳島	六〇〇	八
香川	六〇〇	八
愛媛	七五〇	九
高知	六〇〇	九
福岡	四五〇	八
佐賀	四五〇	八
長崎	四五〇	八
熊本	九〇〇	一二
大分	七五〇	一二
宮崎	六〇〇	一二
鹿兒島	九〇〇	一二
沖繩	三〇〇	三〇
計	三〇、〇〇〇	五〇〇

第一　甲種食糧増産隊に關する事項

一、募集

募集に當りては食糧増産隊編成の趣旨を普く一般に徹底せしむると共に父兄及本人をして國家の要請に應へ食糧増産の戰士として蹶起するの氣魄を昂揚せしめ併せて國本たる農村農家の後繼者として適切なる教育訓練を受くるものなることを理解せしめ矜持を以て進んで入隊する樣指導すること

（一）都道府縣割當人員の確保に付ては本年度國民學校卒業生中農家の後繼者として農村に留むべきものを優先的に入隊せしめ第二次的に一般の滿十九歳以下の青年を入隊せしむることとし、市町村又は國民學校に割當爲す等適宜の方法により本隊編成の緊要性に鑑み之が確保に遺算なからしむること

（二）都道府縣關係各課、地方事務所（特に教育課、經濟課）都道府縣農業會及同郡市支部、都道府縣郡市教育會其他關係機關に本隊編成の趣旨を周知徹底せしめて其協力を求むること

（三）入隊豫定者の選定を了したる上は地方長官は所定の日時場所に本人を集合せしめ都道府縣及地方事務所、農業報國聯盟支部役職員等により銓衡を行ふこと

（隊員銓衡の場合は健康診斷を行ひ、特に結核性疾患、トラコーマ、皮膚病、花柳病、疥癬、精神病、その他集團訓練及作業に支障ありと認めらるる疾病（既往症を含む）ある者は之を除外すること）

（四）都道府縣に於て募集要綱を作成配布すること

二、編成

（一）原則として五〇名を以て一個小隊とし三個小隊を以て一個中隊とし都道府縣を單位として一個大隊を置くこと

（二）小隊に小隊長一名、中隊に中隊長一名各中隊附四名、大隊に大隊長一名大隊附二名を置くこと

（三）中隊附及大隊附は原則として内務、教練、作業榮養等を擔當すること

（四）隊の呼稱は左の例によること、食糧増産隊何々縣大隊、第一（二、三…）中隊、第（二、三…）小隊

三、幹部

（一）食糧増産隊の作業教育訓練の成果は一に懸りて幹部の人物如何に在るを以てその人選には特に愼重を期し優秀なる適材を簡拔する樣留意すること（幹部銓衡の際は特に嚴重なる健康診斷を行ふこと）

（二）大隊長、大隊附、中隊長、中隊附、小隊長は別に定むる農業報國聯盟食糧増産隊幹部[illegible]に據り昭和十九年三月以降農業報國聯盟職員とし俸給手當を支給すること但し官吏又は其他の職に在る者に付ては農業報國聯盟支部職員を兼務せしむるものとし事情を參酌して手當を支給することあるべし

（三）幹部の採用又は増俸給若くは解職其他身分を變更せんとするときは農業報國聯盟支部長は豫め農業報國聯盟理事長の承認を受くること

（四）昭和十九年三月内原訓練所に於て實施する幹部訓練は左に依るものとす

イ、幹部訓練には大隊長、大隊附、中隊長、中隊附、小隊長全員を參加せしむること

ロ、大隊長、大隊附、中隊長は三月一日午後二時迄に中隊附、小隊長は三月五日午後二時迄に内原訓練所に到着すること

ハ、訓練期間は三月二十五日までとし其後歸縣して隊の編成等に協力せしむる事

ニ、内原入所往復三等旅費及訓練期間中の食費、寄舍費、醫療救恤費、教材費は農業報國聯盟に於て負擔すること

ホ、携行品及服裝（農業報國推進隊中央訓練の場合に準ずること）

ヘ、支給品（地下足袋一、手套一）は内原に於て農業報國聯盟より支給すること）

四、訓練

（一）常設訓練所は原則として都道府縣一ヶ所とし修練農場を以て之に充つる事宿舍、浴場、炊事場等は成るべく既設建物を利用する外場内に増築すること（増築の經費に付ては別途指示の豫定）

（二）差當り適當なる訓練所を求め難きときは軍隊舍、遊休建物其他適當なるものの利用に努むること

（三）農具は都道府縣に於て廣く各方面を勸奬して供出又は獻納せしめ若くは長期借入等の方法に依り之を調達すること

（四）基礎訓練を行ふべき場所、宿舍設營等に關しては速かに計畫を樹立し農商省並農業報國聯盟に報告すること

五、期間

（一）期間一ヶ年の内一時歸郷は通算四ヶ月以内とし歸郷中は自家の食糧増産作業に從事せしむること

（二）隊員は成るべく翌年度以降も引續き在隊せしむるを目途として指導する事

六、訓練

（一）大隊長、中隊長、小隊長指導掌握の下に生活、行事、學科、教練、作業の全般を通じて教育訓練の完實徹底を期するものとし食糧増産に挺身率先するの氣魄信念を鍊磨すると共に將來農村の後繼者、中堅人物たるに相應しき能力素養と實踐力とを賦與する事

（二）當初二ヶ月程度の基礎訓練を施したる上各種の作業に順次交替出動せしめ出動先及常設訓練所に於て一定計畫の下に教育訓練を行ふこと

（三）學科及教練時數は青年學校當該學年所定の科目及時間數以上を課すること但し學科目に付ては概ね左の範圍とす

科目

イ、皇民及修身

ロ、普通學（國語、漢文、數學、地理、歷史、物象、生物等）

ハ、農學及農業實習（作物、土壤肥料、病蟲害、畜産、養蠶、林業、農産加工、農業經營、農村經濟）

ニ、教練、武道、體操

ホ、藝能

（四）學科目の教授は隊幹部中の適任者之に當ると共に相當數の教官を嘱託するを行ふものとし教官は都道府縣官吏、農業報國聯盟役職員、農事試驗場、林業試驗場、[illegible]校、中學校其他の中等學校、青年學校[illegible]者を嘱託し[illegible]け在鄕將校[illegible]者を以て之に充つること[illegible]場合は手當[illegible]とし專任者に付ては農業報國聯盟支部職員とすること

七、作業

（一）作業地の選定及出動計畫は農商省及農業報國聯盟並に都道府縣農業報國聯盟支部に於て關係方面と連絡の上之を定むるものとし作業の種類及地區は食糧増産上最も緊要にして且つ農家個々の力を以ては實行困難と認めらるる作業に出動により甚大なる效果を收め得べき農耕、土地改良等を第一義として選定し之を集中的に一擧に完遂することを旨とすること

（二）作業出動に當りては作業の目的及其の國家的意義重要性、作業所要等に關し前に隊員を集め一元的に周知徹底せしめ確固たる信念を以て之に挺身せしむる樣指導すること

（三）作業には原則として大隊又は中隊を單位に出動せしむるものとし已むを得ざる場合と雖も小隊以下に止むること

（四）作業實施の際は實情に即し地元の[illegible]該地方の乙種食糧増産隊、農學生生徒、青年學校、一般町村民を多數動員參加せしむる樣措置すること

（五）出動地に於ける宿舍は學校、寺院、公會堂、共同作業場、移動宿舍等を利用して隊の編成を亂さざる樣合宿し民家への分宿は極力避くること

（六）作業は「農國農民集團勤勞奉仕」に準據して之を行ふこと

（七）作業の際不慮の災害等を起さざる樣特に留意すること

八、醫療救護及救恤

（一）隊員及幹部の衞生に特に留意し臨時健康診斷を勵行すること

（二）醫師を嘱託し又は都道府縣醫師會等に協力を求めて醫療救護に萬全を期すること

（三）救恤は別に定むる規程により農業報國聯盟又は同支部に於て之を行ふものとすること

九、給與

（一）隊員手當は月一〇圓程度（歸郷一ヶ月以上に及ぶ場合を除く）とするも特に必要ありと認むる者に對しては若干増額を認むること、この場合は農業報國聯盟に協議すること

（二）支給又は貸與すべき裝備品等は都道府縣に於て手配すること（農商省に於て手配中の分は別途通知す）

一〇、隊旗其他の標識

（一）正式の隊旗は國旗とすること

（二）隊員には所定の徽章（農業増産報國推進隊徽章と同樣圖案のもの）を常用せしめ上衣左胸部に所屬中小隊名及氏名を記入せる白布を附せしむること（徽章は農業報國聯盟に於て調製交付す）

（三）幹部には所定の腕章を常時着用せしむること

一一、其他

（一）隊員たるの身分を明かにするため各隊員には隊員手帳を所持せしむること（隊員手帳は農商省及農業報國聯盟に於て作成交付す）

（二）本隊の教育訓練と青年學校教育との關係は差當り前年度食糧増産隊に於ける取扱に準ずること

一二、經費

（一）本隊に要する經費は豫算の範圍内に於て農商省より農業報國聯盟に補助す農業報國聯盟は同支部の經費に對し豫算の範圍内に於て補助金を交付するものとす

（二）本隊の經費は都道府縣に於ても相當額を支出すること

（三）本隊作業に出動する場合其經費の一部若は全部を出動を受くる事業主體、受益者等に負擔せしむるを得るものとす

尙別途食糧増産に關する都道府縣の經費を一部充當する等適宜の措置を講ずる事

第二　乙種食糧増産隊に關する事項

乙種食糧増産隊は左の要領により實施するものとす

一、目標

國民學校修了後農村に留まり次代の中堅農業者たるべき青少年を以て市町村單位に食糧増産隊を編成し皇國農民として必要なる訓練を施すと共に農耕、土地改良等に動員し食糧増産に挺身せしむ

二、呼稱

何々（市町村）食糧増産隊と呼稱すること

三、編成

（一）隊員資格

イ、農業に留むべき國民學校修了の男子及女子にして原則として修了後二年以内のものとすること、但し滿十九歳以下のものを之に參加せしむることを得

ロ、心身健全にして集團勤勞に耐へ得るもの

（二）編成

ハ、一分隊は一〇名、一小隊は五〇名、一中隊は一五〇名を標準とすること

ニ、隊の編成は市町村を單位とし其の員數により分隊、小隊又は中隊に編成すること

ホ、分隊、小隊、中隊に隊長各一名を、市町村隊に隊長一名、隊附若干名を置くこと

必要に應じ小隊又は中隊に隊附を置くことを得るものとすること

（三）幹部

イ、隊幹部は學校役場、農業會等の教職員、推進隊訓練修了者其他青少年を指導し隊を統率する實力を有する者を以て之に充つること

ロ、市町村隊長は農業報國聯盟支部長之を命ずること

四、期間

隊員の在隊期間は一ヶ年とするも翌年度以降も努めて繼續在隊する樣指導すること

五、訓練及作業

（一）訓練

適時地方修錬農場其他適當なる施設を利用して必要なる訓練講習を施すこと

（二）作業

市町村、市町村農業會等と緊密なる連絡の下に作業計畫を樹立し自市町村内に於て一定期間食糧増産作業を行ふこと、但し必要に應じ他市町村に出動せしむることあるものとすること

六、經費

所要經費の一部は都道府縣及農業報國聯盟支部に於て負擔すること

甘藷の大増産

指導者養成講習會

決戰下食糧増産確保の緊要性に鑑み本聯盟では農商省の指示により昨年甘藷、馬鈴薯の大増産運動を展開、内原に於て講習會を開催すると共に各府縣に特設育苗圃、内原には十五町歩に亙る大育苗圃を設置する等甘藷増産に多大の成果を擧げたが本年度においても各府縣より適格者一千名を内原訓練所に招集、二月十三日より六日間に亙つて甘藷増産講習會を左の方針に則り開催した

記

農業増産報國推進隊員の動員

右隊員を甘藷増産運動に動員する爲之に關する趣旨の徹底を圖る要あり農商省當局其の他專門的有識者の政策、智識、技術等に關する意見及記述に關する文獻を配布すること

甘藷優良苗配給の爲の種苗圃設置

優良苗の育成は甘藷増産の第一歩なるを以て茨城縣内原青少年義勇軍訓練所に八町五反歩の育苗圃を設置し東京都一圓にその配給を行ふこと

甘藷増産指導者の養成

府縣に設置せらるべき育苗圃を擔當すべき者及其の指導者を養成すること

甘藷育苗圃の設置

支部に於て強健優良なる苗を農民道場其の他の機關の圃場を利用して育成し配給せんとする場合に於ては貴（都道府）縣の方針も可有之を以て（都道府）縣當局と右計畫に付熟議すること其の決定あるに於ては相當額の助成金の交付ある筈に付右の計畫及收支豫算書を（都道府）縣に提出する事

第五回短期生　南方　入所式

二十日擧行

本聯盟では農商省の委囑により南方農業開發指導者要員の錬成を實施し、既に多數錬成の修了者は吾が南方領域に於て農業の開發指導に奮闘しつつあるが、苛烈なる戰局の進展に伴ひ南方の開發は益々緊要の度を加へ來りこれが成否は直接戰力に影響する所大なるものあるに鑑み、更に引續き第五回南方農業開發指導者短期錬成を實施することとなり本聯盟都道府縣支部長推薦による應募者二百八十名は一月二十日午後二時、聯盟本部に集合、同三時より入所式を農商省廣場に於て農商省、陸海軍省關係官その他關係者臨席の下に盛大に擧行直に内原訓練所に入所した

中堅農民諸君に　國家要請を迎ふ

農商大臣　山崎達之輔

政府

皇國

今日

全國

本訓練は責務達成

重大使命完遂へ　農報運動の中核となり

皇國農民は國力の基盤

農民魂の鍛錬こそ刻下第一の急務

大政翼賛會副總裁　後藤文夫

食糧の飛躍的增强と皇國農村の確立へ

第四回推進隊訓練入所式に當りて

石黒推進隊長（訓示）

中央訓練の目標

自發の奉公心に

急告

……第であります

諸君は之から約二十日間の訓練に親しまれるのでありますが、時恰も厳寒の候に當りますので尠からざる不自由があらうと思ひますが國家の諸君に期待する所は如何に大なるかを思ひ一意専心訓練に精進し愈々皇國農民精神を鍛錬し農業報國運動の中核となり食糧増産と皇國農村確立の重大使命の完遂に邁進せられむことを切望する次第であります

戰下農村に絶大の寄與

中央農業會長 酒井忠正

諸國に對し滿腔の敬意を表しますと共に忠烈なる戰沒將士に對し謹んで哀弔の誠を捧げる者であります

必勝態勢確立

惟ふに大東亞戰爭は既に過去二箇年の長年月の經過に依りまして皇國不敗の地位は確立されたのでありますが、之に對して野望に狂奔する米英は物量の餘力を今後益々結集して反攻を繼續すべきことは當然豫想せらるる所でありまして、戰局の益々激化し長期化致すことに對しましては我々の覺悟を致して居る所であります、從ひまして決戰に次ぐ決戰に勝抜き長期戰必勝の態勢を確立することは將に今後に在るのでありま[illegible]

此の秋に當り全國[illegible]推進せられて訓練に參加り増産推進隊として訓練を受けるのでありますが、その責任や重且つ大と言ふべきでありますが、惟に農業に於ても根本は人にあります、皇國農村の確立も戰時食糧の増産も農村に人物なくしては不可能であります、彼の二宮尊徳先生も農を興す元は人心の開發に在りと申されました、農民魂の鍛錬こそ先づ第一の急務であります、諸君は是より此の内原の地に於て約一箇月間訓練を受けるのでありますが、是は單なる農業技術の訓練に非ずして農民魂の鍛錬であります、諸君は[illegible]依つて諸君自身の心の田圃を耕すのであり諸君自身の心の畑に種を播くのであります、どうか諸君は此の時局に於ける自己の使命の重且つ大なるに徹せられまして、此の訓練に依つて農業増産推進隊の組織を通じて我が國農村の中心人物として皇國農村の確立と戰時食糧の増産とに勇往邁進せられむことを衷心希求あります、一言所懐を述べて御挨拶と致します

[illegible]然として生活作業訓練が行はれて居ります、此の推進隊にはそれがありませぬ、隊員諸君の自發の奉公心即ち皇國農民精神の發動に待つ所の義勇奉公の訓練なのであります、一に卒ら諸君の醇乎たる皇國農民精神の發露に待つて整然たる訓練が行ひ得ることと存じ其の後の農民としての擔當すべき國を養ふ重大な責任が仕遂げられることと信ずるのであります、私は之に全幅の信頼を置いて居ります、過去三回に亘る所の中央訓練の結果はこの信頼に十分に應へて來れてゐるのであります、どうぞ今回の第四回の諸君に於かれましても訓練中自律自習と十分にせられて自ら重しとして行動をせられるのは勿論、この訓練を最後迄眞剣にやり抜いて之を通じて皇國農民の重大な責任を深く自覺して各々が自覺を致して、農民と政府、地方と中央、組織員と組織の間に於て、將又全國至る所の農村の中堅人物諸君の御互の間に於て固き絆を結び付きを完成せられ、國難當面の克服の爲に、民族永遠の發展の爲に皇國農民の重責を一致して完遂せられむことを望んで已ませぬ以上推進隊長としての希望を述べまして今日の訓示と致します

同志的盟約へ

[illegible]

農閑期を抹殺

[illegible]

入所狀況

[illegible]

訓練概況

[illegible]

標準農村建設講習會
皇國農村委員會で開催

第四回推進隊中央訓練はさきに農商省決定の皇國農村建設の促進を期するため特に指定の標準農村全國三百三町村より一町村二十名宛合計六百六十名を同訓練に參加せしむることとなつたが、皇國農村委員會に於てもこれと呼應して、標準農村指定町村から町村長又はその町村の指導者一名宛三百名を招致し、標準農村中心人物講習會を開催することとなり、去る七日より十日まで四日間に亘り内原訓練所に開催するところあつたが、講習會日程及講師は次の如くであつた

（講師） 石井農政局長、石黒農業報國理事長、加藤推進隊中央訓練本部長、小平皇國農村委員會長

日程

七日 午後二時入所（各隊へ配屬後は日村出出身の皇國農村研究會出席隊員と懇談）

八日 午前開講式挙行、石井農政局長講話、石黒理事長講話、午後は懇談會（懇談會は中央訓練に對する質疑、意見、要望を中心とし、或は隊員との懇談會を續行）

九日 午前加藤本部長講話、小平會長講話、午後は懇談會（懇談會は町村の建設計畫案の發表並に之を中心とする研究討議、或は隊員との懇談會を續行）

十日 午前農業増産報國推進隊講話並に閉講所式に參列、閉講式隊員の分列行進を參觀して解散した

[illegible]に、そのものとして奮起したのである

入所式 宣誓

我等第四回農業増産報國推進隊員一同 茲ニ集結ヲ終リ愈々向フ一箇月間ニ亙ル中央訓練ヲ受ケムトス、誠ニ感激ニ堪ヘズ、今ヤ國家存亡ヲ賭スル大東亞戰爭ノ眞ツ只中ニ於テ農ニアッツ島ノ玉砕アリ又茲ニタラワ及ヒマキン島ノ柴崎部隊四千五百名ノ玉砕ヲ聞ク、悲壯憤激ノ念ヲ禁ズル能ハズ、我等ハ食糧増産戰線ニオケル玉砕ノ覺悟ヲ以テ或ハ惡條件ヲ克服シ以テ國家ノ要請ニ應ヘ本訓練ノ目的達成ニ邁進セムコトヲ期ス

右謹ミテ宣誓ス

[illegible]た次第であるが石黒推進隊長、加藤訓練本部長以下諸先生の數次に亘る講話に依り現下國情の認識と苛烈なる戰爭下皇國農民の行ふべき任務に付て隊員一同確固たる信念を把握し得たのである

◇

かくて隊員一同は合同訓練の二十日間に於て心身共に鍛錬され本訓練最後十日間に亘る地方集團作業訓練に出發したのである、地方集團作業訓練は數箇府縣中隊千名以上を集中する千葉、靜岡、鳥取の三大集團作業訓練を始めとして夫々各府道府縣に於て退所式後直ちに開始されたのであつて、出勤推進隊員延人員十三萬五千人を中心として地元協力部隊約五十萬人が全國一齊に立上つたのである

◇

之に依り暗渠排水實施面積一千町歩、用排水路約三萬間、災害田復舊約三百町歩その他の作業が實施されたのである、十一日より順次退所、推進隊員は皆訓練所に於て錬成された皇國農民精神の本領を發揮し地方に於ける十日間の實踐活動を整然と實施し作業實施のみならず内務生活に於ても推進隊員としての誇りを持つて各地方の模範的集團作業を實施し推進役に於ける強力なる農業報國運動を展開するものと信じて疑はず

退所式 宣誓

第四回農業増産報國推進隊員一同 茲ニ二十日間ノ中央訓練ヲ終ル 洵ニ感激ニ堪ヘズ 今ヤ逼迫セル戰局ハ食糧増産ヲ確保スルヤ否ヤニ依ツテ決セントス 此ノ秋ニ當リ石黒、加藤兩先生ヲ始メ各講師先生ノ熱烈タル御指導ヲ受ケ醇乎タル農民魂ノ錬成ヲ賜リ、茲ニ我等一萬五千名ハ食糧増産決戰隊トシテ玉砕ノ決意ヲ以テ[illegible]

嚮導隊
第三次移動作業

第三回嚮導隊第三次移動作業に關し、日程並に作業地及作業内容は次の如く決定それ／＼各地に於て活動中である

第一小隊

岡山縣吉田郡香々美村 七日間（一、一二一、二〇）暗渠排水
高知縣香美郡[illegible]村 七日間（一、二二一、二九）暗渠排水
大分縣速見郡由布院村 八日間（一、三一一、九）暗渠排水

第二小隊

奈良縣宇智郡宇智村 七日間（一、一二一、二〇）[illegible]
[illegible]村 七日間（一、二二一、二九）暗渠排水
佐賀縣佐賀郡久保田村 八日間（一、三一一、九）開田

第三小隊

愛知縣渥美郡杉山村 七日間（一、一二一、二〇）客土
和歌山縣西牟婁郡三舞村 五日間（一、二二一、二九）暗渠排水
長野縣東筑摩郡宮村 八日間（一、三一一、九）開田

第四小隊

埼玉縣比企郡[illegible]本村 七日間（一、一二一、二〇）暗渠排水
滋賀縣野洲郡[illegible]王村 七日間（一、二二一、二九）干拓
熊本縣天草郡一町田村 七日間（一、三一一、九）暗渠排水

第五小隊

神奈川縣足柄郡中井村 七日間（一、一二一、二〇）暗渠排水
長野縣下伊那郡[illegible]光寺村 六日間（一、二二一、二九）暗渠排水
[illegible]村 七日間（一、三一一、九）[illegible]

集合訓練作業地

[illegible]

昭和十九年五月二十五日

農業経済学科

農学部事務室 御中

一、静岡県へ以て嶽へ勤労動員学生氏名ノ件

標記件ニ関シ当学科ニ於テハ左記学生計二名

ヲ出動致シ候ニ付此之段及御報告申上候。

記

農業経済学科 三年 佐藤太一郎

五月五日ヨリ参加ス

二年 守田志郎

五月二十八日ヨリ参加ス

仝

二人 六月三日ヨリ参加

電文

二名参加ス 東大農学部 五月二十六日 [illegible]

二名ノ内一名ハ五月五日ヨリ参加 [illegible] 5/27 [illegible]

B列5

二九三
一〇四　トウケウ　七九九九　コ五
ムコウガ　オカ」　258
トウケウテイコクダ　イガ　グノウガ　クブ　チヨウ
キガ　クヤツガ　ダ　ケニオケルガ　クトクンレンノタメノシツパ
ツハ二八ヒシンジ　ク四　一三レツシヤニケツテイ」サイブ　ハモ
ヨリノコウヅ　ウコウシヤシツチヨウシヨニテオトヒアハセヲコウ
」ノウギ　ヨウホウコクレンメイ

丸ノ内四丁目（小島　…川）
丸ノ内四一四一
当学入ノ為ニ於ケル学徒訓練ノ為ノ出発ハ廿八日　新宿四一三列車
ニ決定。細部ハ最寄ノ交通公社出張所　コ廿、三〇　ト
ニ於テ聞イテ下サイ。農業報国聯盟、

93

東京帝國大學

警戒警報發令ニヨリ五月廿一日ノ試験延期（行マ日）ノ件届出

農業經濟學科

第二學年来ル五月廿八日ヨリ勤勞動員命令有之付五月二十一日ノ試験（財政及植民政策）ノ延期ニ付

六月一日受験ニ支障アル者左ノ通リニ候。

確定者　二年　守田志郎

不確定者　再験者及不明ノ者三名ノ中

適任　確定セルモノハ二十八日ニ出勤ス

東京1529

回覧

大第一〇八五号　　学生課長ヨリ

学徒勤労動員実施要領ニ関スル件

工場事業場等学徒動員受入側措置要綱ニ関スル件

昭和十九年五月十七日　　事務室

演習林

農場

水產實驗所

御中

農學科

農藝化學科

林學科

獸醫學科

水產學科

農業經濟學科

農業土木學科

資 4

體育大學一〇八五號

東京帝大學第一三一號

昭和十九年五月十五日

東京帝國大學學生課長　大室貞一郎

農學部長　三浦伊八郎殿

學徒勤勞動員實施要領ニ關スル件

標記ノ件ニ關シ文部次官ヨリ別紙ノ通リ通牒有之候條委曲右ニテ御了知相成度此段依命及移牒候也

動總一三號

昭和十九年五月四日

文部次官㊞

學徒動員本部次長㊞

大學高等專門學校長

教員養成諸學校長 殿

學徒勤勞動員實施要領ニ關スル件

現戰局ニ鑑ミ決戰非常措置ニ基ク學徒動員實施要綱決定セラレ

茲ニ學徒盡忠ノ至誠ヲ傾ケテ勤勞報國ニ動員セラルル事ト相成タル

ニ付テハ同要綱ニ依ル學校別學徒動員基準ニ準據シ且ツ左記要領ニ依リ學徒勤勞動員ノ積極果敢ニシテ且有效適切ナル運營ヲ圖リ學徒タルノ矜持ヲ堅持セシムルト共ニ戰力増强ニ充分ナル效率ヲ發揮セシムル樣之ガ實施ニ萬遺憾ナキヲ期セラレ度依命此段及通牒

追而別紙ノ如ク地方長官宛通牒相成タルニ付爲念及添付

記

一、學徒勤勞動員ハ大東亞戰爭現段階ニ對處シ刻下緊要ナル生産增强ヲ分擔スルモノニシテ之ガ遂行ノ適否ハ本年度所期生産必遂ヲ左右スルモノナルコトヲ充分徹底セシムルコト

二、學徒ノ勤勞動員ハ學徒ノ教育實踐トシテ行フ勤勞協力ナル理念ニ徹シ作業場ヲシテ行學一体ノ道場タラシムルニ力ムルコト

三、學徒ノ奉公精神、教養、規律ニ依リ作業場ヲ純化且明朗ナラシムルコト

特ニ受入側ヲシテ學徒動員ノ勤勞即教育タルノ本義ヲ理解セシメ受入體制ノ整備並ニ學徒ノ勞務管理ニ遺憾ナカラシムルコト

四 學徒動員中成ルベク多数ノ教職員ヲシテ率先垂範陣頭指揮ニ當ラシメ以テ學徒ノ勤勞協力並ニ訓育ノ徹底ニ萬全ヲ期セシムルコト

五 學徒動員中受入側ヲシテ力メテ軍事教育其ノ他ノ時間ヲ設定セシメ學徒ノ教育錬成ニ協力セシムルコト

六 學徒ノ体力健康状態等ニ細心ノ注意ヲ拂ヒ特ニ工場事業場等ニ於テハ保健衛生及救護ニ關シ必要ナル施設ヲ講ゼシムルト共ニ環境ノ變化ニ伴フ疲勞其ノ他心身ノ状況ニ留意シ疾病事故ノ防止ニ力メシムルコト

七 特ニ工場事業場等ニ於テハ安全教育ノ徹底ヲ期シ災害防止ニ力ムルコト

八 動員學徒疾病又ハ傷害ヲ被リタル場合ニ於テハ治療其ノ他必要ナル

措置ヲ敏速且懇切ニ行ハシムルコト

九、學徒一日ノ勤勞時間ハ一般從業員ト同樣ニ取扱フヲ原則トスルモ學徒ノ年齢、性別及作業ノ性質等ヲ勘案シ不當ニ長時間ニ亘ラシメザルコト

一〇、學徒勤勞動員ニ依リ生ズル經濟的負擔ハ受入側ニ於テ之ヲ負擔セシメ且協力ニ付必要ナル物品ハ出來得レバ現物ニヨリ之ヲ支給又ハ貸與セシムル樣措置スルコト。

一一、學徒勤勞ニ對スル報償ハ學徒各人ニ對スル勞務ノ報酬ニ非ズシテ挺身奉公ノ協同作業ニ對スルモノナルヲ以テ一括學校報國隊長ニ之ヲ交付セシムベキニ付別途指示ニ基キ遺憾ナカラシムルコト

一二、工場事業場ニ於ケル學徒ノ勤勞管理ニ關シテハ文部、軍需、厚生等ノ關係各省緊密ナル連繋ヲ保チ之ガ指導監督ニ當ルベキヲ以テ學校側ニ於テモ都道府縣、軍需監理部其ノ他關係機關ト緊密ナル連繋

ヲ保チ勤勞管理ヲ適正ナラシムル樣配意スルコト

一三　學徒動員ノ法的措置ニ就イテハ目下考究中ナルモ差當リ國民勤勞報國協力令ニ依ルモノトシ右ニ依リ得ザルモノニ關シテハ學徒ノ勤勞協力ニ關スル臨時ノ通牒ノ趣旨ニ依ルコト

一四　出動期間中ト雖モ學校長學徒動員ノ繼續ヲ不必要ト認ムル場合又ハ其ノ運營不適當ト認ムル場合ハ其ノ具體的狀況ヲ具シ文部省ニ申報スルコト

0 5

昭和十九年五月十五日

學生課長　大室貞一

殿

工場事業場等學徒動員受入側措置要綱ニ關スル件

標記ノ件ニ關シ文部省總務局長ヨリ別紙寫ノ通リ通牒有之候條委曲
右ニテ御諒知相成度此段依命及移牒候也

動總一四號

昭和十九年五月四日

文部省總務局長

學徒動員本部總務部長

大學高等專門學校長

教員養成諸學校長　殿

工場事業場等學徒勤労動員受入側措置要綱ニ關スル件

學徒勤労動員實施要領ニ關シテハ四月二十七日官總發六號次官通牒

ヲ以テ指示相成タル處今般工場事業場等學徒動員受入側措置ニ關シ別紙ノ如ク要綱決定相成タルニ付之ガ實施ニ萬遺憾ナキヲ期セラレ度此段及通牒候

追而本件ニ付テハ關係各省ト協議ノ上決定相成タル次第ニ付爲念

工場事業場等學徒勤勞動員受入側措置要綱

第一　方針

大東亞戰爭決戰ノ現段階ニ鑑ミ決戰非常措置ニ基ク學徒動員實施要綱ニ依リ學徒盡忠ノ至誠ト勤勞即教育ノ本義ニ徹スル學徒勤勞動員ノ積極的ニシテ且有效適切ナル運營ヲ圖ルベキ受入側態勢ヲ確立セシムルモノトス

第二　要領

一、協力申請（請求）

(一)學校報國隊ノ協力申請（請求）ハ當分ノ間國民勤勞報國協力令ニ基ク協力申請（請求）書ニ依リ大學高等專門學校及師範學校ノ學校報國隊ノ出動ニ關シテハ文部大臣及厚生大臣、中等學校以下ノ出動ニ關シテハ地方長官ニ之ヲ為スコト、國民勤勞報國協力令ニ依リ得サルモノニ關シテモ之ニ準ズル手續ニ依ルコト

學校報國隊ノ割當配置ニ關シテハ學校側ノ希望ヲ參酌シテ之ヲ

為スコト

(二)協力申請(請求)ハ眞ニ必要ナル最少限度トシ且豫メ配當スベキ作業ニ關シテ詳細ナル具體計畫ヲ作成シ置クコト

(三)通勤シ得ル距離内ノ學校ヨリ協力ヲ受クルコト能ハサル場合ハ宿泊施設ヲ準備シ申請(請求)書ニ其ノ旨ヲ明記スルコト

(四)協力ヲ受クル隊員數ハ原則トシテ工鑛關係大學專門學校第三學年以外ハ概ネ學級又ハ學年ニ相當スル程度ノモノヲ單位トスルコト

二、受入準備

(一)學校報國隊ノ動員決定シタルトキハ直ニ學校當局ト緊密ニ事前連絡ヲ行フコト

(二)職員中學校側トノ連絡者ヲ特定シ置キ學校トノ連絡ニ當ラシムルコト

(三)事前連絡ヲ要スル事項左ノ如シ

1 作業内容

2 勤勞時間、食事給與其ノ他勤勞條件

3 宿泊ノ狀況、保健施設特ニ醫療ニ關スル設備

ヘ、其ノ他必要ナル事項

(四)事前ニ係員ヲ學校ニ派遣シ教職員ト協力シ出動スベキ學徒ニ對シ所要ノ豫備知識ヲ與フルコト尚要スレバ豫備訓練ヲ實施スルコト

(五)學徒動員受入專任擔當者、作業指導者、作業指導補助者其ノ他ノ係員ヲ選任スルコト

一般從業員及作業指導者等ニ對シ豫メ學校報國隊協力ノ趣旨ヲ周知徹底セシメ其ノ取扱處遇ニ遺憾ナキヲ期スルト共ニ苟モ學徒ノ勤勞ニ挺身セントスル至誠ノ情ヲ冷却セシメ又ハ學徒ノ教育訓練ニ惡影響ヲ及ボスガ如キコト絶對ナカラシムルコト

三、隊員ノ身分取扱

(一)將來ノ就職ト睨ミ合セ分散シテ配置セラレタル者ハ職員ニ準シ處遇スルコト

(二)學校教職員ハ幹部職員ニ準ズル等相當ノ處遇ヲ爲スコト

(三)長期ニ動員セラルル學徒ハ健康保險ノ被保險者タラシムル樣措

償スルニ、此ノ場合被保險者ノ負擔スベキ保險料ハ受入側ニ於テ便宜支拂フコト

四 教育訓練ニ對スル協力

(一) 受入側ハ常ニ學徒ノ勤勞動員ハ勤勞即教育タルノ本義ヲ理解シ派遣責任教職員ト協力ノ上學徒ノ教育訓練ニ遺憾ナカラシムルコト

(二) 受入側ハ勤務時間中重要教育、教授、訓育等ノ爲一週六時間ヲ原則トスル時間ヲ設クルコト尚作業休憩時間、休日等アラユル時間ヲ活用スルモノトシ受入側ハ之ニ協力スルコト作業ノ情況ニ應シ前項ノ時間ハ適宜集約又ハ分散的ニ實施シ得ル樣措置シ得ルコト

五 勤勞協力ニ關スル指導監督

(一) 學徒ノ出缺、勤怠、志氣ノ昂揚其ノ他勤勞協力ニ關スル精神指導並ニ身分上ノ監督ハ派遣責任教職員之ヲ行フモノトシ受入側ハ緊密ニ之ト連絡スルコト

(二) 學徒ノ作業上ノ指導並ニ就業時間、休憩、休日、危害防止等ニ關スル勤勞管理上ノ指導監督ハ豫メ派遣責任教職員ト協議ノ上

受入側ニ於テ定ムル作業指導擔當者之ヲ行フコト

(三)出勤開始ニ當リテハ作業ノ種類ニ應シ出來得ル限リ一定ノ教育訓練期間ヲ設ケ派遣責任教職員ト一體トナリ作業並ニ勤勞生活ニ慣レシムル様指導ヲ行フコト

六、勤務

(一)同一學校報國隊ノ隊員ハ成ルベク集團シテ同一作業場所ニ於テ作業セシムル様指導シ止ムヲ得ズ作業場所ヲ分ツ場合ニハ之ニ應ズル部班組織ニ依リ勤務セシムルコト

特ニ女子學徒ハ男子從業員又ハ男子學徒ト混在シテ作業セシメザルコト

(二)學徒ノ體力、健康狀態、熟練度等ヲ考慮シ狀況ニ依リ勤務ノ種類及場所ヲ變更スルコト

(三)弱體者ニ對シテハ特別ノ部班ヲ組織シ適當ナル勤務ニ服セシメ之ガ保育ニ留意シ指導スルコト

(四)一日ノ勤務時間ハ一般從業員ト同等ニ取扱フヲ原則トスルモ十

時間（休憩等ノ時間ヲ含ム）以内ヲ原則トシ當業ヲ課スル場合ト雖モ十二時間ヲ超ユザルコト尚學徒ノ年齢、性別及作業ノ性質等ニ配慮セシムルト共ニ作業ニ慣熟セザル期間ハ適宜短縮スルコト

交通ノ状況等ヲ勘案シ必要アル場合ハ通勤時間ニ後記ヲ加フルコト

(四)交替制ニ依ル深夜（午后十時ヨリ翌朝午前五時ニ至ル間）就業ハ男子ニノミ之ヲ課スルコトヲ得ルモ出動後二ケ月間ハ之ヲナサシメザルコト

女子學徒及中等學校第三學年以下ノ男子學徒ニ對シテハ前號ノ深夜就業及危業ハ之ヲ課セザルコト

(五)休假ハ一般從業員ト同様トスルモ作業ニ慣熟セザル期間ハ出來得レバ週休トスルコト

七 災害ノ防止・疾病ノ豫防並ニ災害疾病ノ措置

(一)災害防止設備ヲ完全ナラシメ設備不完全ナルカ又ハ有害有毒ナル場所ニ於テ作業セシメザルコト

(二)隊員ノ安全教育ヲ徹底セシムルト共ニ派遣責任教職員ト協力シ災害防止ニ努ムルコト

(三)學徒ノ保健、衛生救護ニ關シ必要ナル施設ヲ整備スルト共ニ常ニ學徒ノ疲勞其ノ他心身ノ狀況ニ留意シ疾病事故ノ防止ニ力ムルコト

(四)死亡、負傷、疾病等ノ事故ニ對シテハ受入側ニ於テ工場法、勞働者災害扶助法等ニ定ムル扶助ヲ爲スコト

死亡ノ場合ノ弔慰金ハ別表ノ基準ニ據ルコト

前二項ノ扶助等ヲ爲ス場合ニ於テハ弔慰、治療、慰謝其ノ他懇切且精神的ナル配慮ヲ加フルコト

(五)隊員ノ死亡其ノ他重大ナル事故ハ直ニ學校、監督官廳及父兄ニ成ルベク詳細ニ報告スルコト

八、宿泊其ノ他ノ設備

(一)通勤シ得ザル場合隊員ノ宿泊施設ハ受入側ニ於テ之ヲ爲スコト

(二)宿泊ハ一般從業員ト區別セシメ派遣責任教職員、附添ノ上一團ト

シテ収容セシムルコト、特ニ女子隊員ノ場合ハ必ズ女子専用宿舎ニ收容シ且女子ニ必要ナル施設ヲ整備スルコト

(三)學徒ニ對スル宿泊時ノ生活訓練ハ派遣責任教職員之ニ當ルコトトシ受入側ハ之ニ協力スルコト

(四)宿泊中ハ特ニ保健、衛生、風紀等ニ付萬遺憾ナキ様措置スルコト

(五)宿泊長期ニ亘ル場合ハ教育訓練、修養娯楽休養ノ設備ヲモ備アルコト

便所ハ概ネ左ノ標準ニ依リ之ヲ施設スルコト、特ニ女子隊員ノ場合ハ必ズ女子専用トスルコト

			男子	女子
作業場	五〇人ニ付	大便所	一	二
		小便所	二	
宿舎	二〇人ニ付	大便所	二	二
		小便所	一	

九、食事其ノ他ノ給與

(一)食糧等ハ一般從業員ト概ネ同様ニ給與致サルベキモ詳細ハ追而農商省ヨリ指示アルベキニ付右ニ依ルコト

(二)協力ニ付必要ナル作業用品類（作業衣・作業帽・地下足袋・手袋等）ハ出來得レバ現物支給又ハ貸與トシ且一般從業員ト同樣ニスルコト

一〇 報償

(一)學徒勤勞ニ對スル報償ハ學校報國隊ノ協同業體ニ對シ納付セラルルモノナルヲ以テ一括學校報國隊ニ納付スルコト

(二)報償ハ基本報償及特別報償ノ二種トスルコト

(三)基本報償ハ學校ノ程度ニ應シ一定月額トシ作業ノ種類ハ原則トシテ之ヲ考慮セザルコト

基本報償算定基準ハ別表二ニ據ルコト

(四)特別報償ハ受入側一般從業員ニ對シ賞與手當・深夜就業手當・賞與又ハ臨時ノ給與ヲ支給スル丸ニ依リ之ヲ納付スルコト

伺協力終了ノ際ハ勤務ノ狀況、勤勞期間ニ應シ一般從業員ニ準ズル額ヲ納付スルコト

特別報償算定基準ハ別表三ニ據ルコト

(四)受入側ハ毎月一定期日ニ基本及特別報償ノ別ニ依リ明細書ヲ附シ一括學校報國隊長ニ納付スルコト

二、實費辨償

(一)通勤ニ要スル交通費ハ受入側ニ於テ負擔シ成ルベク隊員ニ定期券ヲ購入シ交付スルコト

(二)宿泊ノ場合學校所在地ト作業地トノ往復旅費(三等料金、要スレバ急行料、辨當料、途中宿泊費)ハ受入側ニ於テ實費ヲ負擔スルコト　但シ辨當料ハ一食ニ付五十錢ヲ標準トスルコト

(三)隊員ノ父母妻子ノ死亡(危篤ノ場合ヲ含ム)ノ際ニ於ケル隊員ノ歸省ノ場合ハ往復旅費ヲ支給シ隊員ノ危篤又ハ死亡ノ際ニ於

ケル家族ノ出頭ノ場合ハ家族二人ヲ限リ往復旅費及必要ナル滞在期間中ノ滞在費ヲ受入側ニ於テ支給スルコト

一二、其ノ他

(一)文部大臣又ハ地方長官必要アリト認ムル場合ハ出動中ノ學校報國隊ノ協力ヲ取消スコトアルベキコト

(二)隊員ノ養護特ニ疾病傷痍等ニ對スル措置ニ付テハ派遣責任教職員ノ指示ニ従ヒ周到ナル措置ヲ講ズルコト

(三)女子隊員ニ付テハ女子勤労者保護ニ關スル諸規定ノ定ムル所ニ依リ所要ノ措置ヲ講シ萬全ヲ期スルコト

(四)學校ニ於テ勤労協力出動ニ當リ身体検査ヲ實施スル場合ハ成ルベク受入側ヨリ醫員等ヲ派遣シ協力スルコト尚勤労協力期間中ニ於テモ學校側ト一体トナリ定期ニ結核ニ重點ヲ置ク身体検査ヲ實施

シ訓練ノ結果ニ基ク勤勞養護ノ一体的運營ノ適正ヲ期スルコト

身體檢査ノ經費ハ受入側ニ於テ負擔スルコト

(五) 派遣責任教職員ニ對シテハ交通費、日當其ノ他必要ナル經費ハ別途指示ニ從ヒ受入側ニ於テ負擔シ別途支辨スルコト

別表一

弔慰金基準

(1) 業務外死亡ノ場合　三〇〇圓

(2) 業務上ノ死亡ノ場合　五〇〇圓

別表二

基本報償算定基準

性別	學校別	一人當リ月額（圓）
男子	大學	七〇
	專門學校、高等學校、高等師範學校、大學豫科、師範學校（本科） 青年師範學校	六〇
	中等學校第三學年以上又ハ之ニ準ズルモノ 師範學校（豫科）	五〇
女子	專門學校、師範學校（本科）、青年師範學校、師範學校（豫科）	五〇
	中等學校又ハ之ニ準ズルモノ	四〇

備考 一、月ノ中途ニ於ケル出動若ハ退去又ハ缺勤ニ對シテハ日割計算（一月ヲ三十日ト見做ス）トス

二、受入側ニ於テ宿舍及食事ヲ供スル場合ハ一般從業員ヨリ徴收スル金額相當額ヲ控除シ算定スルモノトス

別表三

特別報償算定基準

(一)殘業ニヨルモノ

一人殘業一時間ニ付基本報償算定基準月額ノ二百ノ一

(二)深夜就業ニヨルモノ

一人一回ニ付　一圓

(三)賞與又ハ臨時給與

一般從業員支給ノ例ニ依リ算出シタル額

(四)協力終了ノ際ニ支拂フモノ

一人ニ付基本報償算定基準月額ノ三分ノ一

昭和十九年五月二十七日

学部長

文部省 大学課長 西崎恵殿

学徒勤労動員ニ関スル件

標記ニ関シ勤労動員先並別紙ノ通リ有之候ニ付可然御取計煩度此段及御依頼候也

東京帝國大學農學部

學徒勤勞動員先希望　東京帝國大學農學部

一、農學科

二年相當學生　二名　學科研究室

同　二名　千葉縣下

三年相當學生　一名　陸軍經理學校

同　一名　農商省園藝試驗場種苗育成地

同　三名　學科研究室（内一名病弱者）

二、林學科

二年相當學生　林業專修　一八名　農商省山林局（資源調査並ニ製炭指導）

同　林産學專修　一七名　日本ベークライト株式會社亀有工場（航空用木製プロペラ製作補助）

三年相當學生　林業學專修　一名　住友本社林業所

同　一名　三井農林

東京帝國大學農學部

同　五名　農商省山林局

同　一名　王子製紙

同　二名　帝室林野局

同　一名　大學院特別研究生

同　一名　三興株式會社

三年相當學生（林産學專修）　二名　茅ヶ崎製作所

同　一名　日本ベークライト株式會社

同　四名　大學院特別研究生

同　二名　王子製紙

同　一名　日本樂器

同　一名　秋木工業

以上

B4ノ三

学徒勤労ニツキ勤労先希望調

農学科

二年相当学生　二名　農学科研究室

二名　千葉縣下

三年相当学生　一名　陸軍経理学校

一名　農商省園芸試験場総合育成地

三名　農学科研究室（内一名病的者）

文部省大学教育局長

（西崎恵）殿

農学部長

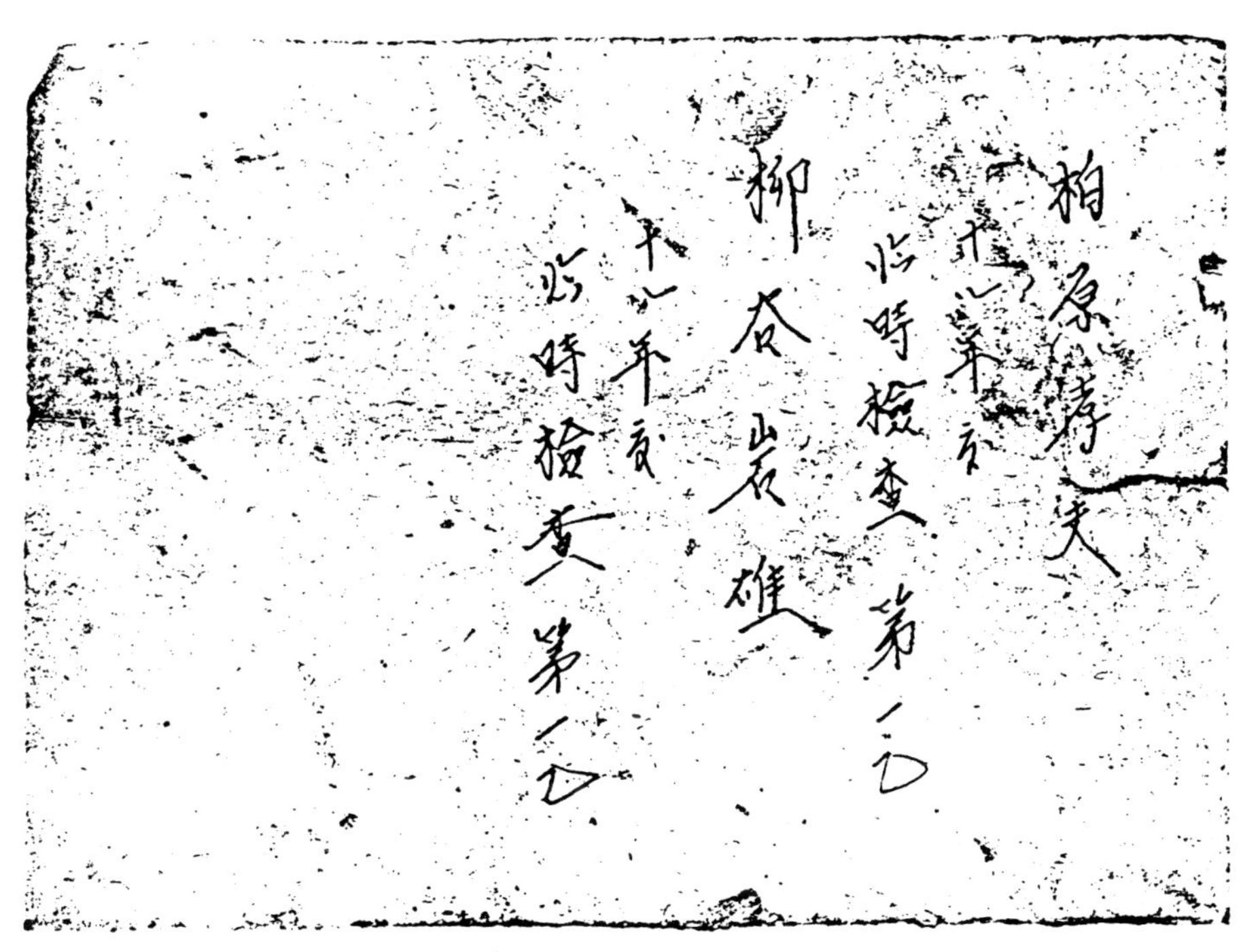
柏原孝夫
十八年度
臨時検査 第一乙
柳谷岩雄
十八年度
臨時検査 第一乙

林学三二号

昭和十九年五月二十四日

東京帝國大學農學部林學科教室主任教授 吉田正男

東京帝国大学農学部長 三浦伊八郎 殿

学徒勤労動員ニ関スル件

標記ノ件ニ付キ左記ノ通リ勤労動員先希望致候ニ付可然

御取計相願度候也

記

林学科 二年

林業学専修 一八名 農商省山林局（立木調査並ニ製炭指導）

林産学専修　一七名　日本ベークライト株式會社亀有工場
（航空用木製プロペラ製作補助）

林学科　三年

林業学専修

勤員希望先	
住友本社林業所	一名
三井農林	一名
農商省山林局	五名
王子製紙	一名
帝室林野局	二名
大学院（特別研究生）	一名
三興株式會社	一名

林産学専修

茅崎製作所	二名

日本ベークライト株式会社　一名

大学院（及卒業生補助員を[illegible]研究生を含む）　四名

王子製紙　二名

日本楽器　一名

秋木工業　一名

昭和十九年五月二十九日

農學部長

文部省大學課長 西崎 恵殿

學徒勤勞動員ニ關スル件

標記ニ關シ二十七日付六備發照會尚勤勞動員先希望別紙ノ通リ希望有之候ニ付可然御取計相煩度此段及御依頼候也

東京帝國大學農學部

學徒勤勞ニ付動員先希望　東京帝國大學農學部

一、獸醫學科

二年相當學生　一二名　陸軍獸醫學校（内交涉済 六月以降通年動員予定）

三年相當學生　二四名　右同

（右ハ病氣休學中ノ者ヲ除キ全員[illegible]動員予定ナリ）

二、農學科

先般 五月二十七日付農學科二年相當學生弐名千葉縣下ニ動員希望者ハ（中止）

（イキ）五月三十日ヨリ八ヶ岳中央修練農場ニ於テ三週間ノ訓練ヲ受ケタル後

出動ノ予定ニ付可然御依頼申上候

以上

東京帝國大學農學部

外数如月、全員 三年 二六 六 一二 二年 一四 一六

東京帝國大學農學部

昭和十九年五月二十九日

獣醫學科主任 田中丑雄（印）

農學部長三浦伊八郎殿

獣醫學科第二及第三學年相當學生ノ勤勞動員

受入作業廳トシテハ陸軍獣醫學校ヲ希望致候右

宜敷御取計ヒ相成度此段及御依頼候也

追而 陸軍獣醫學校トハ内交渉ヲナシ、六月以降

直ニ動員ノ予定ニ有之、併テ申添候

B5ノ四

農學部
諸第二一八號

經校庶第三五六號

學部長
書記官
農學科主任

學徒動員ニ關スル件照會

昭和十九年五月十日　陸軍經理學校

東京帝大農學部御中

首題ノ件ニ關シ當校現地自活ニ關スル指導助手トシテ東京帝國大學農學部農學科第三學年猪坂正之ヲ決戰非常措置ニ基ク學徒動員トシテ當校ニ於テ採用致度ニ付可然御取計相成度及照會候也

東京都北多摩郡小平村　陸軍

8

書記官

學部長

案

農學部諸第二一八號

學徒動員ニ關スル件回答

五月十日經總第三五六號ヲ以テ御照會ニ係ル三年

RESTRICTED本學生稲塚正之ヲ動員ノ件本學部ニ於テ

ハ差支無之候條此段及回答候也

昭和19年5月20日起案

書記

年　月　日

郎　名

陸軍経理学校宛

東京帝國大學農學部

29

學部長　書記官

案

農學　四五五號

食糧增產隊幹部トシテノ學徒動員ニ關スル件

五月二十六日東京帝大學第一五八號ヲ以テ御申越ノ件別紙ノ通及報告候也

年　月　日

學部長

學生課長宛

東京帝國大學農學部

写

昭和十九年九月二十七日

文部省学徒動員本部第一部長　印

東京帝国大学総長殿

食糧増産隊幹部トシテノ学徒動員ニ関スル件

標記ノ件ニ関シテハ本月二十日動専二八号通牒並ニ電信等ヲ以テ連絡致シ置キタル処先般本件ニ関シ別途農政局長並ニ農業報国聯盟常務理事連名ノ通牒有之タル趣ナルモ右ハ参考資料トシテ御考慮相成リ之ガ実施ニ関シテハ本省通牒ニ基キ措置可相成モノナルニ付為念

B 列 4

(東東 4109)

出動先　動員實施調書

出動確定人員 學部學科	學年	學生生徒	派遣教官
農學部 農學科	二	二	○
	二	一	○
同 農業經濟學科	三	一	
計	二二	四	○

實施豫定期間	三月二八日ヨリ二ケ月間 自上ヨリ 五月二十七日迄

備考　出動先静岡縣又ハ千葉縣ヲ希望ス。

東京帝國大學　孝

除外理由　緊急作業研究補助ノ為 身体検査ノ結果身体虚弱ニシテ動員ニ適セズト認メラレタルニ依ル

動員除外調書

動員除外人員 學部、學科	學年	學生生徒	派遣教官
農學部 農學科	二	二	
同 農業經濟學科	二	五	
計	四	七	

備考　埼玉縣下ノ農村ニ滞在セシメ農村事情ノ調査ニ當ラシム

東京帝國大學　孝

東京帝國大學農學部

東京帝國大學農學部

農芸化学

勤労実施調書

出勤先

学部学科	出動従事人員 学生	出動従事人員 教官	派遣期間	実施期間
農芸化学	弐	弐名	1	

備考

出勤先ノ都合ニ依リ又ハ事業ノ都合ニテ
[illegible]

勤労除外調書

学部学科	勤労除外人員 学生	勤労除外人員	除外理由
農芸化学	弐	弐名	醗酵利学研究補助

備考

昭和十九年五月二十六日

農学科

農学部事務室御中

食糧増産隊幹部トシテノ学徒動員ニ関スル件

首標ニ関シ学徒出動方別紙ノ要領ニテ御報告候也

東京帝國大學農學部

F5ノ2

東京帝國大學

昭和十九年五月二十六日

農業経済学科

農学部事務室御中

記

一、食糧増産隊幹部トシテノ学徒動員ニ関スル件

標記ノ件ニ関シ当学科ニ於テハ別紙之通リ一號表

ニ號表ヲモツテ御報告申上候

B列5

（一号表）

動員實施調書

出動先	出動確定人員				実施予定期間	備考
	学部学科	学年	学生生徒	派遣教官		
	農学部	二	一名	ナシ	五月二十六日以降六ヶ月間	
	農業経済学科	三	一名	ナシ	五月二十八日以降卒業見込迄	

（二号表）

動員除外調書

除外理由	動員除外人員			備考
	学部学科	学年	学生生徒	
身体検査ノ結果身体虚弱ニシテ動員ニ適セズト認メラレタルニヨル	農学部農業経済学科	二	五名	埼玉縣下ノ農村ニ滞在セシメテ農村事情ノ調査ニ当ラシム。

B列5

至急

事務室

昭和十九年九月二十六日

別紙ノ通[illegible]ノ学徒命令アリ

通知ニ接シ候條從而[illegible]ノ上折返シ至急別表ニ記入ノ上[illegible]四日迄ニ提出相成度

農学科

演習林

農芸化学科

農場

林学科

水産実験所

獣医学科

水産学科

御中

農業経済学科（印：大家）

農業土木学科

東京帝國大學

農學部 第四五五號

東京帝大學第一五八號
昭和十九年五月廿六日

學生課長　大室貞一郎

農學部長　三浦伊八郎　殿

食糧增産隊幹部トシテノ學徒動員ニ關スル件

標記ノ件ニ關シ文部省學徒動員本部第一部長ヨリ別紙ノ通リ申越有之候條委曲右ニテ御諒知ノ上至急出動方御取計被下度尚別記第五項一號表竝ニ二號表御作成ノ上當課宛御回付相煩度此段依命及依頼候也

動專一一八號

昭和十九年五月二十日

文部省學徒動員本部第一部長　印

東京帝國大學總長　殿

食糧增産隊幹部トシテノ學徒動員ニ關スル件

決戰非常措置要綱ニ基ク學徒動員ノ一環トシテ今般農商省農業報國聯盟共同主催ニ係ル食糧增産隊幹部トシテ貴學長學關係學科學徒ヲ協力セシムルコトト相成リ各般ノ事情考慮ノ上左記ノ通出動配屬（都道府縣配屬ハ追而決定指示ス）決定致シタルニ付テハ別紙食糧增産隊學徒動員要領竝ニ準備訓練實施要領等御參照ノ上右學徒出動方至急御取計相成度

尙出動令書ハ後日受入側ヨリノ申請ニ基キ交付相成可キニ付御含相成度

此段依命及通牒

追而右以外ノ農學關係學科學徒ノ動員實施ニ關シテモ本省ニ於テ目下計畫中ナルニ依リ近々指示可有之ニ付御含置相成度爲念

記

一、出動學徒割當

學校名	學科	學年	人員	備考
	農學科	二年生	四名	
	農業經濟學科	二年生	六名	

備考

當該學校學年學徒ニシテ割當員數ヨリ若干員數ヲ除外セルハ當該學校農場經營、試驗研究施設等ノ事情ヲ斟酌シ殘留セシメタルモノニシテ學校長ハ右學徒ニ付適切ナル措置ヲ講ズベキモノナルコト

二、出動學徒ノ割當ハ派遣可能ト認メ決定シタルモ特別ノ事情アル場合ハ多少ノ增減アルモ已ムヲ得ザルコト

向現ニ出動中ニシテ今般ノ配屬ニ特ニ支障アル場合ニハ直ニ本省ニ協議スルコト

三、外國人學生、身體虚弱者及學校ニ於テ特ニ必要ト認ムルモノハ本動員ヨリ除外シ外國人留日學徒ニ付テハ四月二十四日發專一一四號專門教育局長通牒ニ依リ其ノ他ノ者ニ付テハ學校ニ於テ適當ナル方途ヲ講ズルコト

四、曩ニ通牒セル受入側措置要綱、學校側措置要綱ヲ充分考慮措置スルコト

五、出動學徒決定シタルトキハ左記樣式ニヨリ「動員實施調書」竝ニ動員除外調書ヲ本省學徒動員本部第一部長宛提出スルコト

（一號表）　動員實施調書　學校名

出動先	出動確定人員				實施豫定期間	備考
	學部學科	學年	學生生徒	派遣教官		

備考

1 派遣教官ノ欄ニハ教官ノ官職氏名ヲ記載スルコト

2 備考欄ニハ派遣教官ノ學生生徒指導方法其ノ他參考トナル可キ事項ヲ記載スルコト

（二號表）　動員除外調書　　　學校名

除外理由	動員除外人員			備考
	學部學科	學年	學生生徒	

備考

1 本表ハ今回ノ割當該當者ニシテ除外セルモノニ付記載スルコト

2 備考欄ニハ動員ヲ除外セル學生生徒ノ措置ヲ記載スルコト

向現ニ出動中ニシテ今般ノ配置ニ特ニ支障アル場合ニハ直ニ本省ニ協議スルコト

三、外國人學生、身體虚弱者及學校ニ於テ特ニ必要ト認ムルモノハ本動員ヨリ除外シ外國人留日學徒ニ付テハ四月二十四日發專一一四號專門教育局長通牒ニ依リ其ノ他ノ者ニ付テハ學校ニ於テ適當ナル方途ヲ講ズルコト

四、曩ニ通牒セル受入側措置要綱、學校側措置要綱ヲ充分考慮措置スルコト

五、出動學徒[illegible]定シタルトキハ左記様式ニヨリ「動員實施調書」並ニ動員除外調書ヲ本省學徒動員本部第一部長宛提出スルコト

（一號表）　動員實施調書　學校名

出動先	出動確定人員				實施豫定期間	備考
	學部學科	學年	學生生徒	派遣教官		

備考

1、派遣教官ノ欄ニハ教官ノ官職氏名ヲ記載スルコト

2 備考欄ニハ派遣教官ノ學生生徒指導方法其ノ他參考トナル可キ事項ヲ記載スルコト

（二號表）　動員除外調書　學校名

除外理由	動員除外人員			備考
	學部學科	學年	學生生徒	

備考

1 本表ハ今回ノ割當該當者ニシテ除外セルモノニ付記載スルコト

2 備考欄ニハ動員ヲ除外セル學生生徒ノ措置ヲ記載スルコト

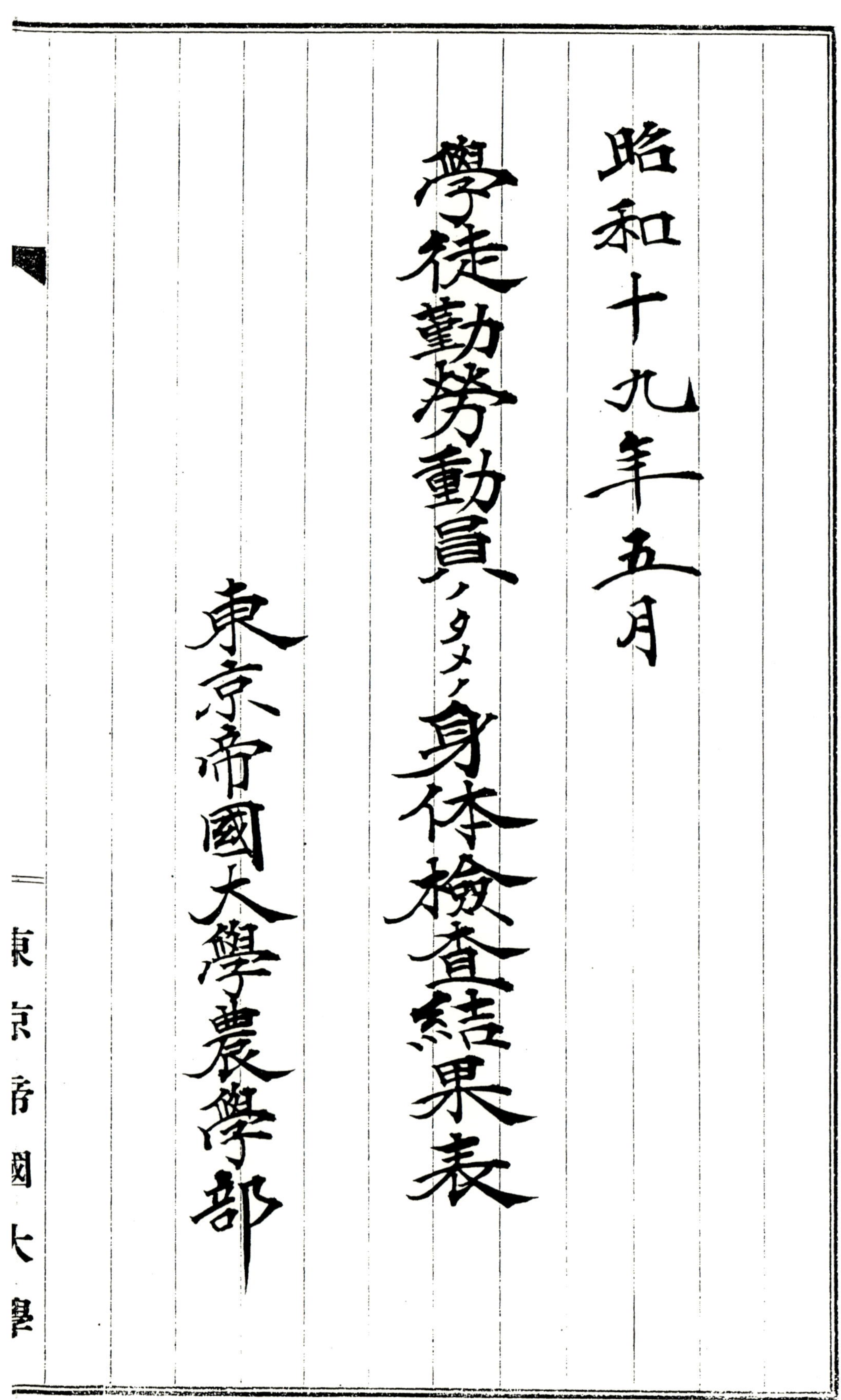

昭和十九年五月

學徒勤労動員ノタメノ身体檢查結果表

東京帝國大學農學部

東京帝國大學

學科	學年	氏名	
農	三	伊藤智夫	不適
〃	〃	猪坂正之	經輕適
〃	〃	金澤幸三	~~經~~輕適
〃	〃	田島達彦	~~經~~輕適
〃	〃	吉川需	適適
〃	二	小田桂三郎	適適
〃	〃	田渕周吉	適適
〃	〃	矢野幸夫	經適

東京帝國大學

〃	一	岩田 正利	適 適
〃	〃	岡本 嘉	適 適
〃	〃	斉藤 勇	不適
〃	〃	巣山 太郎	適 適
〃	〃	高梨 洋一	經 輕 適
〃	〃	千葉 勉	經 輕 適
〃	〃	茶村 修吾	適 適
〃	〃	西浦 昌男	適 適
〃	〃	橋爪 良介	適 適
〃	〃	林 兼六	適 適
〃	〃	藤井 溥	適 適

東京帝國大學

B列4

〃 〃

〃 〃

本多哲郎	村田吉男	李台現
適	不適	不適

化	三	安藤　孝久	適 適
〃	〃	天野　幸人	經輕適
〃	〃	石塚　亘	適 適
〃	〃	宇田川　包房	適 適
〃	〃	尾崎　清	適 適
〃	〃	大久保　正道	適 適
〃	〃	大高　文男	適 適
〃	〃	太田　実	不適
〃	〃	加藤　明宣	適 適
〃	〃	飼原　幸男	適 適
〃	〃	勝呂　登	經輕適

東京帝國大學農學部

氏名	名	判定
上林	明	不適
神田	克	適適
木村	武	經輕適
北島	晃	適適
小石川	仁治	適適
斉藤	三郎	適適
清水	正賢	適適
篠田	晃	經輕適

B4ノ二

		氏名	
〃	〃	島崎 通夫	経軽適
〃	〃	棲葉 良之助	適適
〃	〃	鈴木 三郎	適適
〃	〃	鈴木 敏夫	適適
〃	〃	関 守誠	不適
〃	〃	袖岡 弘	経軽適
〃	〃	高橋 三郎	適適
〃	〃	高松 亘	適適
〃	〃	角田 俊道	適適
〃	〃	中山 慶一	適適
〃	〃	中山 良三	適適
〃	〃	永井 恭三	~~適~~ 経軽適

東京帝國大學

		氏名	
〃	〃	長倉 克男	經輕適
〃	〃	林 成周	適適
〃	〃	日高 正夫	適適
〃	〃	樋口 良文	適適
〃	〃	平尾 秀一	不適
〃	〃	福迫 總一	適適
〃	〃	松井 慶訓	適適
〃	〃	松坂 泰明	經輕適
〃	〃	松田 和雄	適適
〃	〃	丸 忠二	適適
〃	〃	三浦 洋	經輕適
〃	〃	望月 惕二朗	適適

〃	〃	山根	信義	適	適
〃	〃	山本	毅	適	適
〃	〃	吉田	文彦	適	適
		上林	州	不適	
〃	二	相田	浩	適	適
〃	〃	青山	敏男	不適	適
〃	〃	東	國雄	適	適
〃	〃	天羽	幹雄	輕	適
〃	〃	伊東	富雄	適	適
〃	〃	伊東	正夫	適	適
〃	〃	飯塚	廣	輕	適

		氏名		
″	″	池畑	秀夫	適 適
″	″	上田	清基	適 適
″	″	大塚	謙一	適 適
″	″	大西	隆二	適 適
″	″	岡田	和	適 適
″	″	門田	昌平	適 適
″	″	菅島	須磨自	適 適
″	″	川並	統一	適 適
″	″	河辺	健一	経 軽 適
″	″	小坂	博保	適 適
″	″	後藤	忠	適 適
″	″	近藤	肇	適 適

東京帝國大學

B列4

		氏名		判定
〃	〃	紫崎	秀雄	~~經~~輕適
〃	〃	島根	茂雄	適適
〃	〃	白石	道夫	適適
〃	〃	鈴木	達彦	適適
〃	〃	田川	一郎	適適
〃	〃	田中	耕作	適適
〃	〃	高橋	徹三	經輕適
〃	〃	辻	啓一	適適
〃	〃	濤崎	重信	適適
〃	〃	中野目	弘明	適適
〃	〃	並木	満夫	適適
〃	〃	南部	三郎	適適

		氏名		
〃	〃	野本正雄	適	適
〃	〃	廣井彰[illegible]	適	適
〃	〃	古谷方佐	適	適
〃	〃	増田宏	適	適
〃	〃	室岡治義	適	適
〃	〃	山田芳雄	適	適
〃	〃	山本銀三	適	適
〃	〃	横澤清	不適	適
〃	〃	吉川誠次	適	適
〃	一	伊東唯暢	適	適

東京帝國大學

B列4

東京1529

		氏名	
〃	〃	海老根 英雄	適適
〃	〃	小田切 敏	適適
〃	〃	大滝 研也	緩輕適
〃	〃	大村 京生	適適
〃	〃	岡田 稔	適適
〃	〃	片岡 眞一	適適
〃	〃	岸保 芳郎	適適
〃	〃	久保 眞吉	適適
〃	〃	久保田 政治	緩輕輕適
〃	〃	小松 伸雄	適適
〃	〃	斉 修	適適
〃	〃	島川 順二	適適

			氏名	
〃	〃		鈴木　聖	適　適
〃	〃		田中　俊彦	適　適
〃	〃		高木　榮一	適　適
〃	〃		高橋　甫	適　適
〃	〃		武田　章	適　適
〃	〃		都留　春夫	適　適
〃	〃		坪井　一郎	經　經　適
〃	〃		手塚　新一	適　適
〃	〃		富澤　長次郎	適　適
〃	〃		鳴海　歡一	適　適
〃	〃		西川　光一	適　適
〃	〃		軒原　榮三	適　適

東京帝國大學

B列4

〃	〃	早瀬 達郎	適 適
〃	〃	原 春樹	適 適
〃	〃	原 正春	不適
〃	〃	日野 哲雄	適 適
〃	〃	不破 英次	適 適
〃	〃	福井 孝雄	適 適
〃	〃	福田 秀夫	適 適
〃	〃	藤本 義典	適 適
〃	〃	古川 勝夫	適 適
〃	〃	松本 鉀太郎	適 適
〃	〃	三浦 一夫	適 適
〃	〃	三添 明正	經 輕適

東京帝國大學

〃	〃	見里 朝正	適適
〃	〃	御園 光信	適適
〃	〃	宮崎 基嘉	適適
〃	〃	宮本 謙	適適
〃	〃	遣澤 哲夫	適適
〃	〃	吉田 文武	適適
〃	〃	吉田 総	適適
〃	〃	渡辺 喜二	適適

林業	三	石田 常彦	適 適
〃	〃	市原 睦夫	適 適
〃	〃	小田 久五	不適
〃	〃	大迫 壽男	適 適
〃	〃	熊川 明雄	適 適
〃	〃	佐々木 承夫	經卑 適
〃	〃	白柳 美彦	適 適
〃	〃	須賀 敏孝	適 適
〃	〃	長井 啓三	適 適
〃	〃	林 安之	適 適
〃	〃	藤井 博	經卑 適
〃	〃	山崎 鵬太郎	適 適

東京帝國大學

〃	〃	氏名	
〃	二	藍原義邦	適適
〃	〃	石崎澤	適適
〃	〃	上田太郎	適適
〃	〃	栗田純彦	経軽適
〃	〃	立石正夫	適適
〃	〃	冨岡二郎	適適
〃	〃	野口一郎	適適
〃	〃	春田俊郎	経軽適
〃	〃	渡辺隆司	適適
〃	〃	伊藤定吉	適

東京帝國大學

B 列4

〃	〃	〃	〃	〃	
〃	一	〃	〃	〃	〃
梧戸 幸	中谷 善雄	三品 忠男	森田 了	山本 亨	渡辺 一男
適	適 適	適 適	適 適	適 適	適 適

東京帝国大學

林産	三	阿部　寛	適　適
〃	〃	小澤　敏秀	適　適
〃	〃	大石　信孝	適　適
〃	〃	樫野　順三	適　適
〃	〃	瀬野　浩治	適　適
〃	〃	多田　常憲	適　適
〃	〃	野崎　昌輔	適　適
〃	〃	浜　清庸	経　経　適
〃	〃	林　尭郎	適　適
〃	〃	枡谷　友厚	不適
〃	〃	松井　光瑤	適　適
〃	〃	村松　正七	適　適

		氏名	
〃	〃	吉田 全吏	適適
〃	〃		
〃	二	伊藤 省吾	經輕適
〃	〃	伊藤 長	適適
〃	〃	丸山 正和	經輕適
〃	〃	三田 仁	經輕適
〃	〃	山口 隆太郎	適適
〃	一	磯村 草	經輕適
〃	〃	蕪木 自輔	經輕適

東京帝國大學

B列4

東東 1529

		氏名	
〃	〃	川岸 修三	適
〃	〃	阪口 宏司	~~經~~輕適
〃	〃	清水 翰	適
〃	〃	七戸 慶人	適
〃	〃	德屋 雅彦	適
〃	〃	猾川 良一	適
〃	〃	菱伊 三郎	不適
〃	〃	村木 正男	適
〃	〃	森 總	適
〃	〃	柳下 正	不適
		柳澤 滋	適
		山田 和夫	不適

獣医	三	浅野　善之	適適
〃	〃	石井　安雄	不適
〃	〃	小木曽　庚三	適適
〃	〃	柏原　孝夫	適適
〃	〃	神澤　精一	適適
〃	〃	黒川　和雄	不適
〃	〃	清水　武彦	適適
〃	〃	新藤　二郎	適適
〃	〃	高桑　武重	適適
〃	〃	徳田　力	適適
〃	〃	中島　雄次郎	適適
〃	〃	長井　良策	經理適

〃	〃	長谷田	知巳	繼輕適
〃	〃	原	忠孝	不適
〃	〃	柳谷	岩雄	繼輕適
〃	〃	増山	曠	繼輕適
〃	二	安引	公一	適適
〃	〃	飯田	達郎	適適
〃	〃	石田	葵一	適適
〃	〃	今村	照久	適適
〃	〃	小野	友直	適適
〃	〃	木脇	祐順	適適

〃	〃	國崎 格	適適
〃	〃	斉藤 潔	適適
〃	〃	下田 與四雄	適適
〃	〃	三毛 敏夫	適適
〃			
〃	一	五百川 淳助	適適
〃	〃	一木 彦三	適適
〃	〃	奥谷 祥治	適適
〃	〃	勝沼 常夫	適適
〃	〃	佐伯 好一	適適
〃	〃	佐々木 真弓	適適

〃 〃

〃 〃

清水 寛一 適適

橋口 眞 適適

東京帝國大學

B
列
4

東東 1529

水産	三	秋谷年見	適適
〃	〃	鳥巣英夫	適適
〃	〃	村上豊	適適
〃	〃	村山繁雄	適適
〃	〃	山川健重	經輕適
〃	〃	山田隆士	適適
〃	〃	山本允	經輕適
〃	〃	吉崎司郎	適適
〃	二	石井冲二	經輕適
〃	〃	木場重臣	經輕適

		氏名	
〃	〃	杉本 仁彌	~~経~~軽適
〃	〃	高尾 楢造	適適
〃	〃	竹内 脩	適適
〃	〃	水江 一弘	適適
〃	一	加藤 正泰	不適
〃	〃	角和 善造	適適
〃	〃	黒川 千秋	適適
〃	〃	小山 治行	適適
〃	〃	城 喬	適適
〃	〃	田中 一正	適適

東京帝國大學

B 列 4

文系	〃	富田傑雄	適 適
〃	〃	中村芳生	適 適
〃	〃	村上彰男	經 輕適
〃	〃	宮本誠	適 適
〃	〃	森幹男	適 適
〃	〃	横山浩	適 適

東京帝国大学

經済	三	池田 德郎	不適
〃	〃	池本 哲	不適
〃	〃	市古 浩	不適
〃	〃	兒玉 賀典	經輕適
〃	〃	松崎 鐐次	經輕適
〃	〃	矢野 勇	經輕適
〃	二	河野 之男	不適
〃	〃	下條 正雄	不適
〃	〃	服部 豊太郎	不適
〃	〃	本島 哲三	不適

〃	〃	八並　信吉	不適
〃	一	大藏　敏雄	經輕適
〃	〃	三枝　義満	適適
〃	〃	暉峻　象三	經輕適
〃	〃	戸塚　金郎	適適
〃	〃	富岡　歳雄	經輕適
〃	〃	堀　一男	經輕適
〃	〃	諸永　好孝	經輕適
〃	〃		

土木	三	矢野 啓一郎	適 適
〃	〃	茶谷 仁	適 適
〃	〃	渡會 末彦	適 適
〃	二	井上 弘	適 適
〃	〃	伊佐 務	適 適
〃	〃	片岡 隆四	適 適
〃	〃	金城 哲雄	適 適
〃	〃	杉本 郁郎	~~經~~ 輕 適
〃	〃	高橋 喜一郎	適 適
〃	〃	鷹尾 勇彦	適 適

		氏名		
〃	〃	茶谷一男	適	適
〃	〃	長崎明	適	適
〃	〃	松井芳明	適	適
〃	〃	水谷嘉隆	適	適
〃	〃	宮島敏光	適	適
〃	〃	山本純	適	適
〃	一	松山政雄	適	適
〃	〃	渡辺清	適	適

寫

昭和十九年五月十九日

農藝化學科主任 第一海軍技術廠（印）

東京帝國大學御中

學生動員ニ關スル件

標記ノ件ニ關シ文献調査（二名）並ニ分析試驗作業（三名）ニ關シ研究實施ノ為東京帝國大學農學部農藝化學科學生五名ヲ決戰非常措置ニ基ク學徒動員トシテ當廠ニ於テ採用致度ニ付可然御取計相煩度此段及照會也

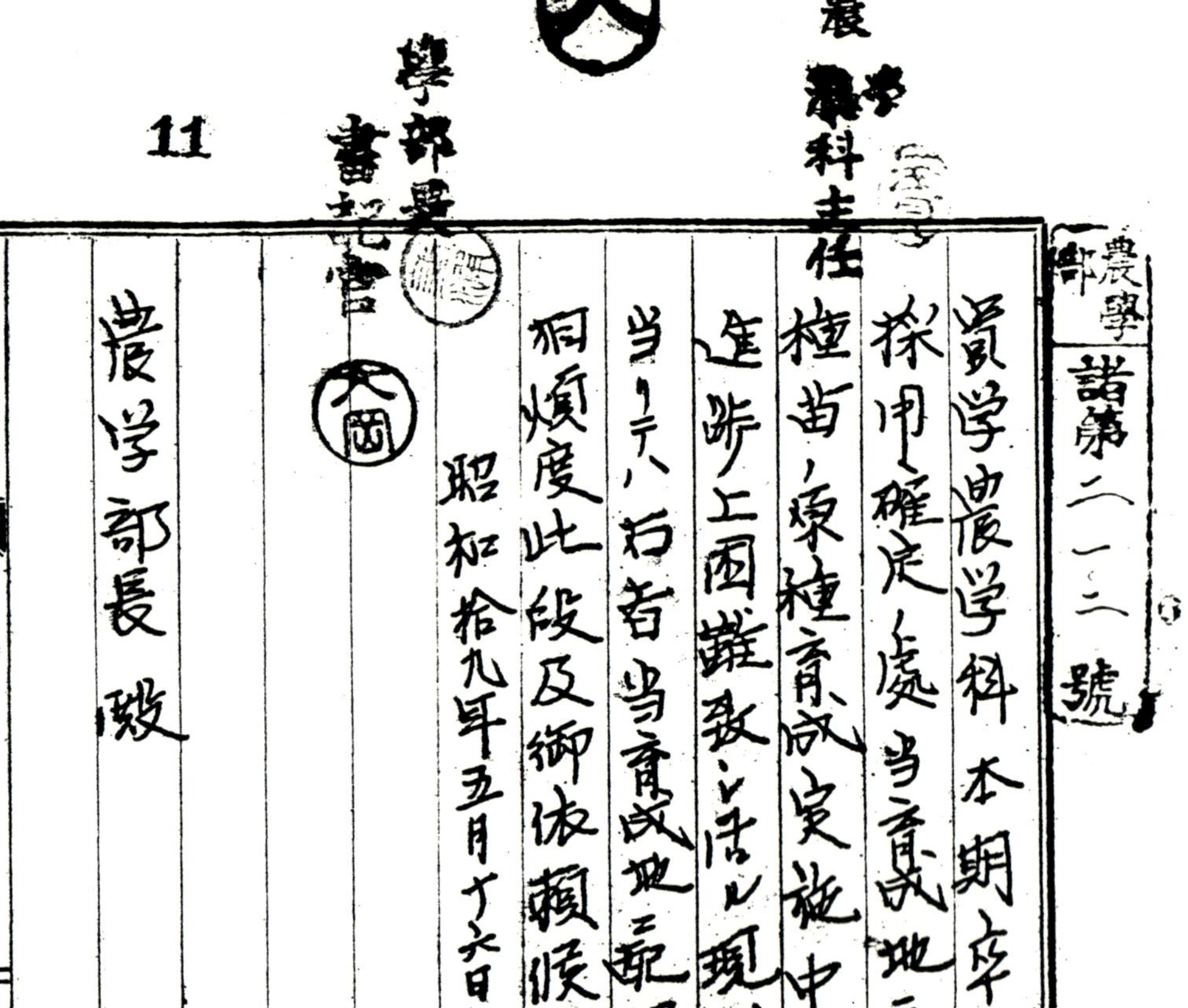

11

農學科主任

農學部長

書記官

農學部
諸第二一二號

貴学農学科本期卒業生金澤幸三ハ当育成地ニ採用確定ノ處当育成地ニ於テハ目下軍現地自活向種苗ノ原種育成実施中ナルモ要員不足ノタメ事業進捗上困難致シ居ル現状ニ有之候ヘバ勤労動員ニ当リテハ右者当育成地ニ配置相成様格別ノ御配慮相煩度此段及御依頼候也

昭和拾九年五月十六日

神奈川県二宮町
農商省園芸試験場種苗育成地
技師 熊澤二[illegible]

農学部長 殿

12

農學部 諸第二三〇號

空技廠第二一九七號

昭和十九年五月十五日

神奈川縣横須賀市浦郷
海軍航空技術廠總務部長

東京帝國大學農學部長殿

動員學徒ノ歸校方及其ノ他取扱ニ關スル件照會

決戰非常措置要綱ニ基キ當廠ニ動員セラレタル學徒ノ勤務期間中歸校及其ノ他取扱ニ關シテハ左記事項御參照ノ上可然取計相成度

記

一、動員學徒ニシテ勤務期間中聽講、補講、受講等ノタメ歸校ヲ要スルモノアルトキハ所要日一週間前迄ニ當廠ニ豫メ公文書ヲ以テ其ノ旨聯絡ノコト

但シ急ヲ要スル場合ハ電報又ハ電話ニ依ルコトヲ得

學徒個々ニ申出アル場合ハ許可セザル方針ナリ

二、教練査閲壯行會、級會、其ノ他學徒ノ集合ヲ要スル場合モ亦前項ニ同ジ

三、學校教授其ノ他關係者授講又ハ補導ノタメ來廠スル場合ハ所要日三日前迄ニ可成通報サレ度キコト

四、前諸項ニ關シテハ夫々關係學徒ニ徹底シ置キタルコト

（終）

学生課長ヨリ

回覧大第三七〇号

学徒動員ニ際シ外国人留学徒ノ取扱ニ関スル件

昭和十九年五月三日

事務室

農学科

農藝化学科

林学科

獣医学科

水産学科

農業経済学科

農業土木学科

演習林

農場

水産実験所

御中

13

東京帝國大學

學部長

農學部 大發第七〇號

昭和十九年四月三十日

學生課長　大塩貞一

農學部長　三浦伊八郎　殿

學徒動員ニ際シ外國人留日學徒ノ取扱ニ關スル件

標記ノ件ニ關シ文部省專門教育局長ヨリ別紙ノ通リ學認候條御諒知相成度此段依命及移牒候也

發專一一四號

昭和十九年四月二十四日

文部省專門教育局長　印

東京帝國大學總長　殿

學徒動員ニ際シ外國人留日学徒ノ取扱ニ關スル件

襄ニ閣議決定相成タル決戰非常措置要綱ニ基キ學徒ノ動員ハ一層强化サルヽコトヽ相成タル處右ニ關シ外國人留日学徒ノ取扱ハ十分愼重ヲ期シ留學ノ目的ヲ達成セシムルヤウ指導スルノ要有之ニ付テハ今後相當長期ニ亘ル動員ノ場合又ハ留日学生生徒ノ修練上特ニ必要アル場合ハ一般ノ學徒動員トハ別個ノ計畫ヲ樹テ之ヲ實施シ一般学徒不在ノ期

間ハ補習授業、實驗實習、特別講義又ハ特別修練其ノ他輔導團體等ニ於テ開催スル講習會等ノ出席等教授修練繼續ノ方途ヲ講ゼラルル樣御配意相成度若シ貴校ニ於テ右繼續實施困難ノ場合ニハ本省ニ連絡ノト數校合同シテ實施スル方法モ考慮セラルベキニ付右御含ノ上之ガ指導ニ萬全ヲ期セラレ度此段及通牒

追而本件實施ニ當リテハ其ノ都度本省ニ御報告相成度

14

昭和十九年五月十七日起案

書記

書記官

學部長

案

内地在學本島人理科系大學專門學校學徒勤勞動員ニ關スル件

標記件ニ關シ調査致候處本學部ニハ該當者無之候ニ付此段

及御回報候也

年　月　日

東京帝國大學農學部

學部長

臺灣總督府東京出張所長宛

農事部 第二二三號

[illegible]

昭和十九年五月十二日

臺灣總督府東京出張所長

臺灣總督府農商局長 殿

内地在學本島人理科系大學專門學校學徒勤勞動員ニ關スル件

標記學徒ニシテ第三學年以上ノ者ノ勤勞動員ニ關シテハ着々ト手續進行中ノコトト存候ヘ共特ニ學校卒業者使用制限令適用者ニ付テハ卒業後ノ就職ト睨ミ合セ分散配置ヲ實施スル關係モアリ本島人タルノ特殊事情ニ因リ内地人學徒同様ニハ進行セザルヤトモ思料セラルルニ付テハ本府ニ於ケル之ガ對策確立上參考ニ致度左記御留意ノ上別紙樣式ニ依リ該學徒ノ勤勞動員ニ伴フ就職內定狀況至急臺灣總督府東京出張所長宛御報告相煩度、

右及依頼候也

記

一、本島人トハ本籍ヲ臺灣ニ有スル者即チ所謂臺灣人ヲ指稱シ臺灣在住ノ内地人ハ之ニ含マレザルコト

二、學校卒業者使用制限令ノ適用ナキ大學、專門學校理科系學徒ハ左ノ學科在學者ニ限ルコト

(一) 工鑛關係學徒

(1) 釀造學科又ハ醗酵學科

(2) 機織科及紡織科

(3) 木材工藝科

(4) 印刷工藝科

(5) 製藥化學科

(6) 寫眞理學科及寫眞藝術科

(二) 理學關係

(1) 數學科

(2) 物理學科

(3) 化學科

(4) 地質岩石、鑛物學科

(三) 農學關係

(1) 農藝化學科

(2) 製糸科及絹紡織科

(3) 纖維化學科又ハ纖維學科

(四) 藥學關係

藥學科

内地在學本島人理科系學徒（第三學年以上）勤勞動員狀況調書

昭和　　年　　月　　日現在

學校名（大學ニ在リテハ學部名ヲモ記載サレ度）	學科名	學徒氏名	今次勤勞動員先	卒業後ニ於ケル學徒ノ就職希望先	學校卒業者使用制限令適用ノ有無

農學部 諸第六九號

15

東京帝大學部長 殿

謹啓　時下新緑の候愈々御清榮の段奉賀候
陳者昨秋來緊急食糧増産對策として土地改良事業實施せらるゝや貴校に於ては卒先之が勤勞動員に參加御努力被成下就中農業土木の技術學徒動員に際しては貴職始め教師各位自ら陣頭に立ち現地に於て日頃修得の優秀技術を活用し終始よく御奮鬪賜りたる事誠に感謝に不堪次第に御座候
以御蔭本事業も良好なる成果を收めつゝ當初の計畫を着々實現

致し完遂も確實と思料せられ候

之偏に關係各位及學徒の決死的勤勞の賜なりと厚く御禮申上候

斯く戰前に於て[illegible]大なる事業を成功裡に實施し得たるは獨り國内食糧自給体制を强固ならしむるに止まらず廣く全世界に對し日本農業の健在を誇示するものと確信仕り候

決戰下學徒諸氏は總ゆる分野に於て日本の運命を双肩に荷負ひ其の使命愈々重きを加へつゝある折柄健康に留意せられ御奉公の程を祈上候

何卒今後共格段の御高配賜り度候先は乍略儀以書中御禮迄申上候如斯御座候

敬具

昭和十九年五月　日

中央農業會

會長　伯爵　酒井忠正

殿

16

六、

學科主任

宮写報

リム 二四一〇 トウケウイウビン 六五三一 コ五

テイダイ」

ノウガクブテウ

ホンゴウ ウ[illegible]ヌムル

キコウノウゲ ウド ボ クカニネンセイ一〇メイガ クトド ウ

インニヨリマンシウコクニハケンセラルルヨウモンブ セウニオイ

テオイテナイテイセラレタルトコロコレガ 」トマンヨテイワセツ

キ一〇ヒゼ ンゴ ニツキテウヘイケンサワソコマデ ニシウレウ

19.6.13

電文

貴校農学部学生二十名学徒動員ニ依リ満州国依蘭迄派遣ニ付文部省ト打合セ内定セシモ目下ノ情勢ニ七月十日前後 [illegible]

セ五　五三　廾

19.6.13

シオカシムルヨウテイハイワズ　ラワシタシクリアゲ　ジ　ユケン
フカノウシヤスウオソカエシヘンコウ」ナカウケイレノセウサイニ
カンシテワキンジ　ツチウカンケイカクカイシヤヨリシヨクインハ
ケンノウエウチアワセモウシアグ　ニツキレウチコウ」タイシカン

昭和九年六月廿日

事務室

學徒動員ニテ出動中ノモノ別記様式ニテ御調査
ト同時ニ御報告願度

農學科
農藝化學科
林學科
獸醫學科
水産學科
農業經濟學科
農業土木學科

演習林
農場
水産實驗所

御中

尚
目下出動セザルモ出動決定ノモノ
ハ余白ニ附記アリタシ

昭和十九年六月三日

農学科

農学部事務室 御中

左記ノ如ク国民勤労報国令ニ依リ出動致スベキニ付 配属将校室ヘ可然御通報被成下度此段相願候

番号	氏名	出動先	出動期日
三	小田桂三郎	農商省関係勤労 三ノ宮不破郡八岳村 成	六月五日ヨリ
三	矢野章夫	同	〃

東京帝國大學農學部

B5ノ2

東京帝國大學農學部

昭和拾九年六月　六日

農學部

學徒勤労動員出動者調

出動場所	出動期間	出動者氏名	学年	備考
農商省関係ニテ不明確故八ケ岳附近	自六月五日	小田桂三郎	二	
〃	自六月五〃	矢野幸夫	二	
農学科	自六月五日 至九月末日	岡嶋周吉	二	作物学教室
〃	自六月五日 至九月末日	田光威和夫	二	畜産学教室

B5ノ2

東京帝國大學

昭和十九年十六月七日

農藝化學科主任

佐々木林治郎

農學部長 三浦伊八郎 殿

國民勤労報告協力令ニ依ル學徒勤労動員状況月報ニ関スル件

標記ノ件ニ関シ当學科ニ於テハ六月分學徒動員ハ別紙ノ通リニ付可然御取計相成度此段及御願候也

B
列
5

記

出動場所	出動期間	出動者氏名	學年
陸軍衣糧廠	自六月一日至九月三十日	上田清基	二年
陸軍糧秣本部	自六月五日至九月三十日	日高正夫	三年
右仝	仝	鈴木敏夫	三年
右仝	仝	相田浩	二年

外前月ニ同ジ

第四〇号

昭和十九年六月七日

東京帝國大學農學部林學科教室主任教授 吉田正男

東京帝國大學農學部長 三浦伊八郎殿

學徒勤勞動員ニ関スル件

標記ノ件ニ関シ六月一日以降本日迄ニ出動セルモノ左記ノ通リニ有之候條此段及御報告候也

記

出動場所	出動期間	出動者氏名	學年	備考
陸軍航空本部總務部	通年	榎本雄二郎	林學科 三年	林業學專修 林學科

勤務先	期間	氏名	学年	専修	学科
横須賀海軍航空技術廠	通年	七澤喜男	三年	林産学専修	林学科
仝上	仝上	村本覺四郎	二年	仝	仝

東京帝國大學

東京帝國大學

昭和十九年六月六日

獸醫學科

事務室御中

學徒勤勞動員出動者調査ノ件御照會有之候處當學科ニハ未ダ出動中ノ者無之候ニ付及回答候也

追テ六月中旬ヨリ動員セラルル見込

B列5

東京帝國大學

昭和拾九年六月九日

東京帝國大學農學部
水産學科

農学部事務室御中

学徒勤労動員出動者調

水産学科

出動場所	出動期間	出動者氏名	学年	備考
越中島陸軍糧秣廠	六月五日より約五ヶ月	松本繁実	三	陸軍経理学校依託学生
同右	仝右	竹内脩	二	同右

東京帝國大學

昭和十九年六月九日

農業經濟學科主任
東畑精一
代 ~~神谷慶治~~
篠原泰三

農学部御中

学徒勤労動員出動者調

出動場所	出動期間	出動者氏名	学年	備考
農業増産挺身隊幹部	昭和十九年五月二十八日ヨリ向フ六ヶ月間	守田志郎	二年	六月十日農家 帰校ス
仝右	昭和十九年五月二十八日ヨリ卒業予定迄	佐藤太一郎	三年	

東京帝國大學

昭和十九年六月九日

農業經濟學科主任
東畑精一
代 神谷慶治
篠原泰三

農学部御中

学徒勤労動員出動者調

出動場所	出動期間	出動者氏名	学年	備考
農業増産挺身隊幹部	昭和十九年五月二十八日ヨリ向フ六ケ月間	守田志郎	二年	六月十六日帰校ス
仝右	昭和十九年五月二十八日ヨリ卒業予定迄	佐藤太一郎	三年	

昭和十九年六月九日

農工教室

事務室　御中

學徒勤労動員ニヨル出勤者調（六月八日現在）

標記ノ件ニ関シ調査ノ結果學徒動員ニヨル出勤者ハ現在居ラザルモソレニ伴フ陸軍経理部依託学生ノ実務実習ニヨル出勤者ハ左ノ如シ

記

農業土木學科

出動場所	出動期間	出勤者氏名	学年	備考
三宅坂部隊	六月七日―昭和廿年三月末日ノ予定	高橋喜一郎	二	経理部（建技）依託学生
仝右	仝右	宮島敏光	二	仝右

以上

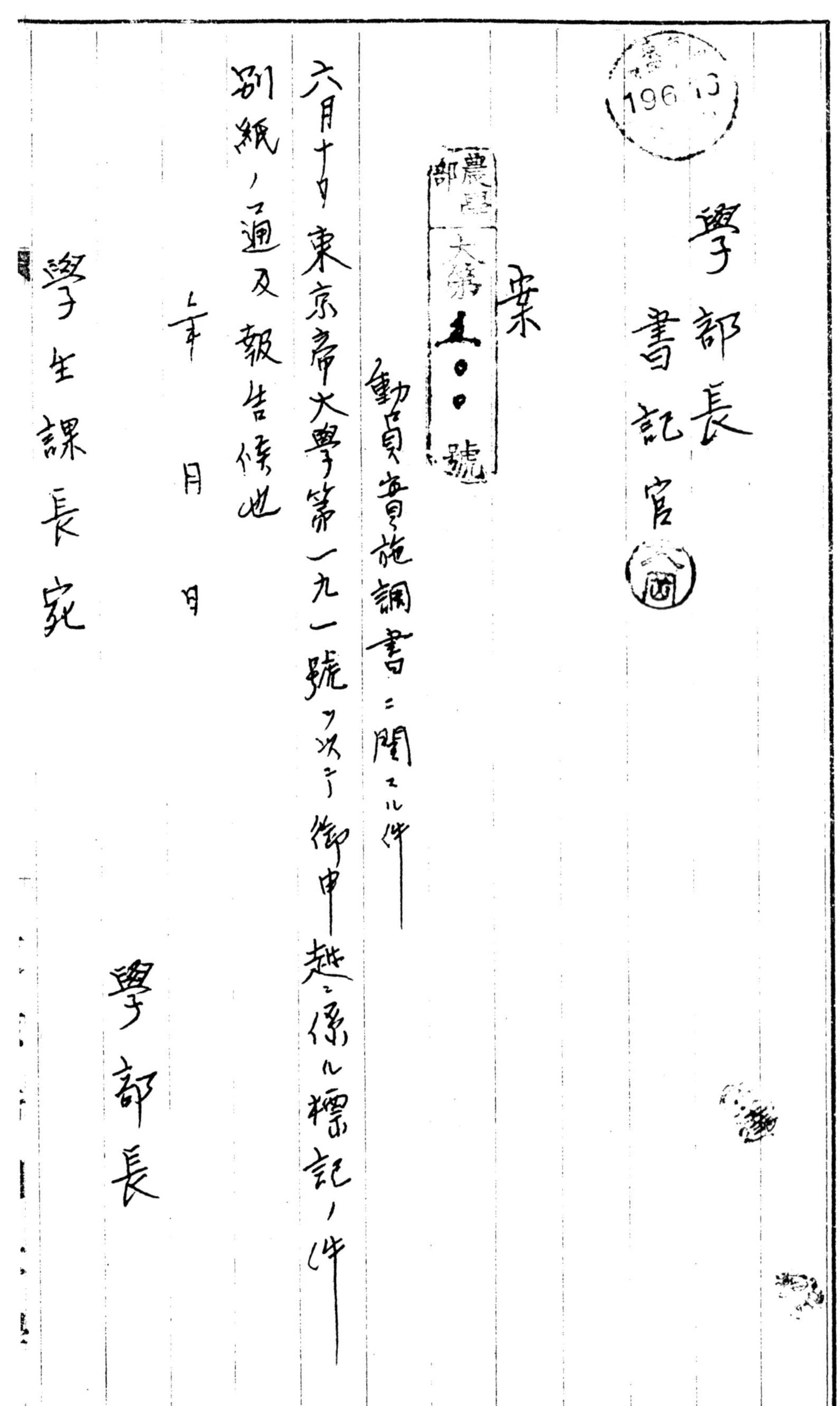

學部長
書記官

農學部 大務 五〇〇號

案

動員實施調書ニ關スル件

六月十日東京帝大學第一九一號ヲ以テ御申越ニ係ル標記ノ件

別紙ノ通及報告候也

年　月　日

學部長

學生課長宛

動員實施調書　東京帝國大學農學部

出動中	出動確定人員 學部、學科	學年	學生生徒	派遣教官	實施期間	宿泊狀況	備考
陸軍糧秣本廠	農學部水産學科	三	一		六月五日ヨリ九月卅日マデ	通勤	
同	同	二	一		同	同上	
水産實驗所（陸軍技術研究所ノ委嘱ニヨル）	同	三	三	教授 雨宮育作	六月十五日ヨリ九月卅日マデ	寺院借用合宿	
同	同	二	一〇	同上	六月十日ヨリ三ケ月間	同上	

東京帝國大學

動員實施調書

水産學科

出動中	陸軍糧秣本廠	同	[illegible]	水産試験所（愛知縣[illegible]）陸軍糧秣研究所
出動確定人員 學部學科	農 水	〃 〃	｜	〃 〃
學年	三	二	廿	二
學生	一	一	廿	一〇
派遣教官				教授 雨宮育作
實施期間	六月五日 [illegible]	同右	[illegible]	六月十日
宿泊状況	通勤	同右	[illegible]	寺院ヲ借用合宿
備考				

一、該當学生ハ十二名（二年全部）ノ内学生ノ栗、竹内俊ハ罹病ナリ

二、動員サルルモ古川ハ教育召應アル為メ合計二名ハ参加不能

依ツテ合計十二名ノ動員トナル

B
列
5

昭和十九年六月六日

東京帝國大學農學部
水産學科

三浦農学部長殿

依頼ノ件

別紙ノ依頼状ヲ附相成度及依頼候也

右至急御採擇指令ノ上下

17

昭和十九年六月六日

殿

學部長

配給依頼ノ件

今回陸軍技術研究所ノ要請ニ基キ特殊事項ノ勤勞ニ従事スル爲メ文部省ノ指令ニ従ヒ學徒動員ニテ左記ノ通リ出動致スト相成候ニ付キ食糧其他生活必需品ノ配給ニ付キ御配慮相願度及御依頼候也

一、場所　愛知縣知多郡旭村

一、期間　昭和十九年六月八日以降五ヶ月間

一、人員　學生　十五名、指導者本學職員弐名至三名、

東京帝國大學農學部

他ニ陸軍技術研究所員二名又ハ三名ノ隨時來泊アル見込

平均　約　二十名

年月日

東京帝國大學農學部長　・・・・　印

殿

照會依頼ノ件

今回陸軍技術研究所ノ要請ニ基キ特殊事項勤労ニ従事スル者ヲ文部省ノ指令ニ従ヒ学徒勤労員ニシテ左記ノ通リ出動致スコトト相成候付テハ食糧其他生活必需品ノ配給ニ付御配慮相成度此段及依頼候也

一、場所　愛知縣知多郡旭村

一、期間　昭和十九年六月八日以降五ケ月間

一、人員　学生十五名、指導者本学職員二名又ハ三名
外ニ陸軍技術研究所員二名又ハ三名ハ随時来所ノ見込
依ツテ十九名乃至二十一名、平均約二十名

東京帝國大學

東京帝大學第一九一號

昭和十九年六月十日

學生課長　大室貞一郎

農學部長　三浦伊八郎　殿

農業期食糧増産作業協力ノ爲大學專門學校學徒動員割當ニ關スル件

標記ノ件ニ關シ學徒動員本部第一部長ヨリ別紙寫ノ通リ申越有之候條委曲右ニテ御了知相成度此段依命及移牒候也

追而出動學徒アリタル時ハ記第八項「動員實施調書」ニ部作成ノ上當課宛御回報相成度

動總一八七號

昭和十九年六月三日

學徒動員本部第一部長
文部省専門教育局長　永井　浩　印

東京帝國大學總長　殿

農繁期食糧増産作業協力ノ爲大學高等専門學校學徒動員割當ニ關スル件

現下食糧増産ノ要極メテ緊切ナルモノ有之ニ付テハ決戰非常措置要綱ニ基ク學徒動員實施要綱ニ依ル標記ノ件ニ關シ別紙ノ通出動配屬ヲ決定相成タルニ付テハ左記事項御參照ノ上出動先縣廳當局ト連絡シ速ニ出動相成様御取計相成度此段依命通牒ス

追而出動令書ハ後日受入側ヨリノ申請ニ基キ交付相成ベキニ付御含置相成度

記

一、出動學徒ノ配屬ハ派遣可能ト認メ決定シタルモ學科、學年、學級ニ依リテハ學徒數ニ多少ノ増減ハ差支ヘナキモ出動不可能ノ場合、出動ノ學科學年ヲ變更セントスル場合又ハ動員學徒數著シク減少スル場合ニハ本省ニ協議スルコト

二、農林水産業ニ對スル學徒動員ニ關スル實施要領ハ近ク通牒相成ベキモ受入側ト作業ノ種類及配置、出動期日等ニ付詳細連絡スルコト

三、前項ノ連絡ニ依リ協議整ヒタルトキハ可及的速ニ學徒ヲ出動セシメ協議ノ結果實施困難ト認メラルルトキハ事情ヲ具シ本省ニ協議スルコト

尚學徒出動シタルトキハ受入側ヲシテ國民勤勞報國協力令ニ依ル正式申請書ノ提出セシムベキニ付御含置キノコト

四、學徒出動中ハ適當數ノ教職員ヲシテ其ノ指導監督ニ當リ勤勞並訓育ノ萬全ヲ期セシムルト共ニ作業實施等ニ關シ受入側ト十分連絡セシムルコト

五、學徒出動ニ關シ宿舍、食糧等ハ左記ニ依ルモノナルモ道縣ニ依リ事情ヲ異ニスル場合アルベキニ付受入先ト豫メ十分連絡協議スルコト

1、宿合ハ合宿又ハ分宿トシ受入市町村及農業會ニ於テ責任ヲ以テ準備シアルコト

2、學徒ハ一人一日二合ノ割當ヲ以テ米ヲ携行スルモノトシ持參セザル場合ハ配給停止證明ヲ持參スルコト尙相當量ノ特配アル樣定

3、服裝ハ農耕作業ヲナスニ便ナルモノトシ特ニ卷脚絆、地下足袋（運動靴）、作業服等ヲ用意スルコト
水筒、飯盒（辨當箱）洗面用具、シャツ、腹卷、下駄、塵紙、其ノ他必要ナル日用品ヲ携行スルコト

4、輸送ハ原則トシテ受入側ニ於テ行フコト

六、學徒動員ニ要スル旅費、醫療費等ハ受入側ニ於テ其ノ實費ヲ負擔スルコト　報償、救恤等ニツイテハ別途決定ノ上通牒ノ豫定

七、勤勞作業ヲ終了シタルトキハ其ノ情況ヲ本省ニ報告スルコト

八、學徒出動シタルトキハ別紙「動員實施調書」ヲ本省ニ提出スルコト

（別紙）

動員實施調書　　　　　學校名

出動中						
出動確定人員						
學部學科	學年	學生數	派遣教官	實施期間	宿泊狀況	備考

（備考）派遣教官ノ欄ニハ教官ノ官職ヲ記載スルコト

東京帝國大學

親展

速達

昭和十九年六月二十一日

學部長

文部省大學課長西崎恵殿

學徒動員ニ關スル件

拝啓益々御清穆之段奉賀候

先般林學科三年相當學生出動先希望ヲ申出置候處右者就職ト關係セシメタルモノモ有之分散的ニ相成ルベク候處若シ右希望ガ政府ノ方針ト背反シ實現不可能ナル場合ニ於テハ左記ノ通御取計方御高配相煩度重ネテ願上候　敬具

記

一、林學科林業學專修　出動適當者　十一名

出動希望先　農商省　山林局

一、林學科林産學專修　出動適當者　七名

出動希望先　帝室林野局東京林業試驗場

東京帝國大學

B
列
4

六月二十日　学位記印章ニ関スル件

長岡技手殿
大学湯浅西崎書記殿

拝啓　時下益御清穆奉賀候　陳者

是迄農学科ニ於テ学生卒業証書ヲ

用ヒ来リ候処右者職員ト関連無之

[illegible]二月ニ有之[illegible]ト相成候ヘ共何分ニモ荒シ

右者証書[illegible]ノ[illegible]ト存候実理不

何[illegible]会ニ於テ[illegible]

御照会相[illegible]

如此御座候

農学科林学科[illegible]書記殿

出席者評議員、[illegible]山[illegible]

会　欠席者[illegible]修　出[illegible]者　名

欠席者[illegible]

東京帝國大學

帝室[illegible]

井上[illegible]

右ノ外[illegible]以去ル八[illegible]者及不適、[illegible]者[illegible]

右数ノ紀元五ト

不適　林董、小田[illegible]

々　林[illegible]、[illegible]

東東 1529

回覧
学生課長ヨリ
工場事業場等学徒勤労動員学校側措置要綱ニ関スル件
大第四二号
昭和十九年五月二二日

事務室

1 農學科
7 農藝化學科
2 林學科
獸醫學科
水產學科
4 農業經濟學科
3 農業土木學科

5 演習林
6 農場
水產實驗所
御中

20

農學部 大第四四二號

東京帝大學第一四五號

昭和十九年五月二十日

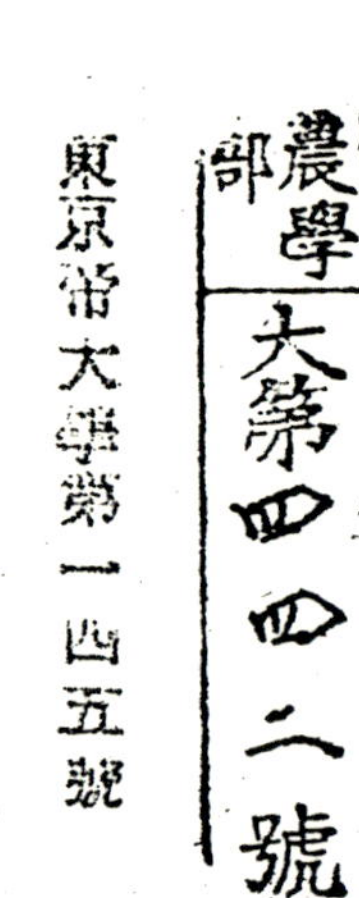

學生課長 大室貞一郎

農學部長 三浦伊八郎 殿

工場事業場等學徒勤勞動員學校側措置要綱ニ關スル件

標記ノ件ニ關シ文部省總務局長ヨリ別紙寫ノ通リ申越候條委曲

右ニテ御了知相成度此段依命及移牒候也

動總一七號（寫）

昭和十九年五月十二日

文部省總務局長　印

學徒動員本部總務部長

各地方長官
大學高等專門學校長
教員養成所長　殿

工場事業場等學徒勤勞動員學校側措置要綱ニ關スル件

曩ニ學徒勤勞動員實施要領並ニ工場事業場等學徒動員受入側措置要綱ニ付通牒相成タル處今般工場事業場等ニ於ケル學徒勤勞動員學校側措

置ニ關シ別紙ノ通要綱決定相成タルニ付之ガ實施ニ萬遺憾ナキヲ期セラレ度此段通牒ス

工場事業場等學徒勤勞動員學校側措置要綱

一、方針

決戰ノ段階ニ鑑ミ決戰非常措置要綱ニ基ク學徒動員實施要綱ニ依リ學徒盡忠ノ至誠ト教育ノ本義ニ徹スル學徒勤勞動員ノ積極的ニシテ且有效適切ナル運營ヲ圖ルベキ學校側ノ態勢ヲ確立セシムルモノトス

二、要領

一、出動準備

(一)學校報國隊ノ出動下命アリタルトキハ學校教職員中ヨリ連絡者ヲ特定シ直ニ受入側ト緊密ニ事前連絡ヲ行フコト

(二)關係教職員ヲ派遣シ作業場、宿舍等ニ付實施視察ヲ行ハシメタル上受入側專任擔當者ト協力シテ出動スベキ隊員ニ對シ作業ノ種類、內容等ニ付豫備知識ヲ與ヘ且出動ニ關スル所要ノ注意ヲ行フコト

(三)學徒ニ對シ出動前豫メ身體檢査ヲ實施シ出動ノ適否、從事スベキ作業ヘノ配當等ヲ決定スルコト、但シ身體檢査ハ出動後受入場所ニ於

テ實施スルモ差支ナキコト
身體檢査ノ經費ハ受入側ニ於テ負擔セシメ得ルコト

(四)學校長ハ出動ニ際シ派遣責任教職員並ニ補助教職員ヲ選定シ之等ノ教職員及出動スベキ學徒ニ對シ所要ノ指示ヲ行フコト

前項ノ派遣教職員ハ概ネ隊員五〇名ニ付一名ヲ基準トスルコト。

(五)隊員ノ出動中學校報國隊員タルノ標識ヲ附セシメ且苟モ容儀ヲ紊ルコトナキヤウ留意セシムルコト

二、一般指導監督

(一)派遣教職員ハ受入側責任者ノ協力ヲ受ケ學徒ノ教育訓練ニ遺憾ナカラシムルコト

(二)學徒ヲシテ常ニ生産ノ國家的意義ヲ自覺シ學徒勤勞動員ノ職旨ニ徹シ一般從業員ト協力一致勤勞ニ挺身セシムルト共ニ獻身奉公・盡忠報國ノ至誠ヲ涵養セシムル様指導ノ徹底ヲ期スルコト

㈢特ニ國防施設事業、軍關係工場等ニ關シテハ機密ノ保持、防諜ニ留意シ隊員ヲシテ作業内容、生産量等機密ニ屬スル事項ニ付絶對漏洩ノコトナキ様嚴重ニ指導監督スルコト

三、勤勞協力ニ關スル指導監督

㈠學徒ノ出缺、勤怠、志氣ノ昂揚其ノ他精神指導並ニ身分上ノ監督ハ受入側責任擔當者ト緊密ナル連繫ノ下ニ派遣責任教職員之ヲ行フコト

㈡學徒ノ作業上ノ指導並ニ就業時間、休憩、休日、危害防止等ニ關スル勤勞管理上ノ指導監督ハ受入側作業指導者之ヲ行フモノナルニ付派遣責任教職員ハ之ト協力スルコト

㈢勤勞開始ニ當リテハ作業ノ種類ニ應ジ出來得ル限リ一定ノ教育訓練期間ヲ設クル様受入側ト協議シ派遣責任教職員ヲシテ受入側指導者ト一體トナリ作業並ニ勤勞生活ニ慣レシムル様指導スルコト

四　勤務

(一)同一學校報國隊ノ隊員ハ成ルベク集團シテ同一作業場所ニ於テ作業セシムル樣受入側ト協議シ止ムヲ得ズ作業場所ヲ分ツ場合ニハ之ニ應ズル部班組織ヲ編成シ勤務セシムルコト

(二)派遣責任教職員ハ受入側專任擔當者ト協議シ弱體者ニ對シテハ特別ノ部班ヲ組織シ適當ナル勤務ニ服セシムル樣措置セシメ之ガ援護ニ遺憾ナカラシムルコト

五　災害ノ防止、疾病ノ豫防並ニ災害疾病ノ措置

(一)隊員ノ安全教育ヲ徹底スルト共ニ常ニ作業指導者ト協力シ災害防止ニ力ムルコト

(二)常ニ學徒ノ勤務其ノ他心身ノ狀況ニ留意シ疾病ノ豫防、事故ノ防止ニ力ムルコト

(三)隊員死亡其ノ他重大ナル事故ハ直ニ監督官廳及父兄ニ報告スルコト

六　宿泊

(一)(一)宿泊ノ場合ハ必ズ派遣責任教職員附添ノ上宿泊スルコト

(二)宿泊時ニ於ケル學徒ノ生活訓練ハ派遣責任教職員之ヲ擔當スルコト

(三)宿泊中ハ特ニ保健ト衛生ニ留意シ團體生活ノ修練ヲ積マシムル様指導スルコト

七　報償經理

(一)學徒ノ勤勞ニ對スル報償ハ學校報國隊ノ協同業績ニ對スルモノナルヲ以テ一括學校報國隊ニ於テ收納スルコト

報償ハ工場事業場等學徒勤勞動員受入側措置要綱ニ示サレタル基準ニ依ルモノナルコト

(二)勤勞期間中ニ於ケル學徒ノ授業料其ノ他教育上學徒ヨリ徴收スル經費ハ報償金中ヨリ徴收シ得ル範圍ニ於テ之ヲ徴收スルコト但シ勤勞期間一ケ月ニ滿タザル場合ハ此ノ限ニ在ラザルコト

(三)前號ノ經費ヲ控除シ　餘アル場合ハ別表ノ標準ニヨリ學校報國隊長動員學徒ニ之ヲ交付シ尙殘餘アル場合ハ差當リ學校報國團ニ於テ之ヲ保管シ其ノ處置ニ付テハ別途之ヲ指示スルコト

(四)報償ハ學校報國團ノ特別會計トシテ之ヲ經理シ其ノ經理ノタメ專任擔當者ヲ選任シ其ノ出納明細書ヲ作成セシメ之ガ經理ヲ適正ナラシムルコト

(五)報償經理ハ毎年一月及六月文部省又ハ地方廳ニ其ノ收支明細書ヲ報告スルコト

(六)文部省及地方廳ハ報償經理ニ關シ隨時實施監査ヲ行ヒ又ハ報告ヲ徵スルモノナルコト

六、其ノ他

學校長ハ學徒ノ養護ニ付派遣責任教職員ヲシテ受入側ト專任擔當者ト連絡シ周到ナル注意ヲ拂ハシムルト共ニ勤勞協力期間中受入側ヲシテ定期ニ結核ニ重點ヲ置ク身體檢査ヲ實施シ其ノ結果ニ基ク勤勞養護ノ一體的取扱ノ適正ヲ期スルコト

別表

動員學徒ニ對スル支給金額基準

大學高等専門學校	月參拾圓【但シ寄宿舎等ニ宿泊スル者ニ對シテハ舎費ヲ含ム】
中等學校	月貳拾五圓【右仝】

動總一七號

昭和十九年五月十二日

文部省總務局長
學徒動員本部總務部長

各地方長官
大學高等專門學校長
教員養成所長　殿

工場事業場等學徒勤労動員學校側措置要綱ニ關スル件

曩ニ學徒勤労動員実施要領並ニ工場事業場等學徒動員受入側措置要綱ニ付通牒相成タル處今般工場事業場等ニ於ケル學徒勤労動員學校側措置ニ關シ別記ノ通要綱決定相成タルニ付之ガ実施ニ萬遺憾ナキヲ期セラレ度此段通牒ス

工場事業場等學徒勤労動員學校側措置要綱

一、方針

決戦ノ段階ニ鑑ミ決戦非常措置要綱ニ基ク學徒動員実施要綱ニ依リ學徒盡忠ノ至誠ト教育ノ本義ニ徹スル學徒勤労動員ノ積極的ニシテ且有効適切ナル運営ヲ圖ルベキ學校側ノ態勢ヲ確立セシムルモノトス

二、要領

一、出動準備

(一)學校報國隊ノ出動下命アリタルトキハ學校教職員中ヨリ連絡者ヲ特定シ直チニ受入側ト緊密ナル事前連絡ヲ行フコト

(二)関係教職員ヲ派遣シ作業場、宿舎ニ付実施視察ヲ行ハシメタル上受入側專任擔当者ト協力シテ出動スベキ隊員ニ対シ作業ノ種類内容等ニ付予備知識ヲ與ヘ且ツ出動ニ関スル所要ノ注意ヲ行フコト

(三)學徒ニ対シ出動前予メ身体検査ヲ実施シ出動ノ適否、従事スベキ作業ノ配当等ヲ決定スルコト 但シ身体検査ハ出動後受入場所ニ於テ実施スルモ差支ナキコト

身体検査ノ経費ハ受入側ニ於テ負擔セシメ得ルコト

ニカムルコト

(二)常ニ學徒ノ疲勞其ノ他心身ノ狀況ニ留意シ疾病ノ予防、事故ノ防止ニ力ムルコト

(三)隊員死亡其ノ他重大ナル事故ハ直ニ監督官廳及父兄ニ報告スルコト

六 宿泊

(一)宿泊ノ場合ハ必ズ派遣責任教職員附添ノ上宿泊スルコト

(二)宿泊時ニ於ケル學徒ノ生活訓練ハ派遣責任教職員之ヲ擔当スルコト

(三)宿泊中ハ特ニ保健、衛生、風紀等ニ留意シ團体生活ノ修練ヲ積マシムル様指導スルコト

七 報償經理

(一)學徒ノ勤労ニ對スル報償ハ學校報口隊ノ協同業績ニ對スルモノナルヲ以テ一括學校報口隊ニ於テ收納スルコト

報償ハ工場事業場等學徒勤労動員受入側措置要綱ニ示サレタル基準ニ據ルモノナルコト

(二)勤労期間中ニ於ケル學徒ノ授業料其ノ他教育上學徒ヨリ徴収スル
経費ハ報償金中ヨリ徴収シ得ル範囲ニ於テ之ヲ徴収スルコト、但シ
勤労期間一ヶ月ニ満チサル場合ハ此ノ限ニ在ラザルコト
(三)前号ノ経費ヲ控除シ残余アル場合ハ別表ノ標準ニヨリ學校報国隊長
動員學徒ニ之ヲ交付シ尚残余アル場合ハ差当リ學校報国隊團ニ
於テ之ヲ保管シ其ノ處置ニ付テハ別途之ヲ指示スルコト
(四)報償ハ學校報国團ノ特別会計トシテ之ヲ経理シ其ノ経理ノタメ専
任擔当者ヲ選定シ其ノ出納明細書ヲ作成セシメ之ガ経理ヲ適正ナ
ラシムルコト
(五)報償経理ハ毎年一月及六月文部省又ハ地方廰ニ其ノ収支明細書
ヲ報告スルコト
(六)文部省及地方廰ハ報償経理ニ関シ随時実地監査ヲ行ヒ又ハ報告
ヲ徴スルモノナルコト

東京帝國大學

昭和十九年六月十七日

農藝化學科主任

佐々木林治郎 ㊞

農學部長 三浦伊八郎 殿

決戰非常措置ニ基ク學徒動員ニ関スル件

首題ノ件ニ関シ当學科二年相當學生ハ六月十七日ヨリ陸軍糧秣本廠ニ出動致候ニツキ此段及御届候也

追而右ニ関シテハ學生課ヲ經テ文部省ノ出動附命アリタルモノナル事申添候

B列5

學部長
書記官

案

農學部 二九七號

學徒動員ニ關スル件

六月十三日付貴大使館ヨリ電報ニヨリ御照會ニ係ル本學部農業土木學科學生滿州國ニ學徒動員ノ件左記十名派遣ノ事ト相成候條此段及通知候也

尚全員徴兵検査ハ受験濟ニ付御了知相成度

年　月　日

部長名

滿州國大使館宛

東京帝國大學

東京帝國大學

記

農業土木學科 二年相當學生

片岡隆四
同 金城哲雄
同 杉本郁郎
同 長崎明
同 鷹尾勇彦
同 茶谷一男
同 松井芳明
同 水谷嘉隆
同 山本純
同 吉松雄太郎

以上十名

B列4

昭和十九年六月十四日

農業工學教室

事務室　御中

農業土木學科二年學生ノ勤労動員出動先ノ件標記ノ件ニ関シ満洲及千葉縣ノ両地方別出動者ノ氏名別記ノ如ク決定致シ候ニ付可然御手續相成度

記

出動人員　十五名（内訳左記）

１、満洲國ニ出動スルモノ　十名（氏名左記）

片岡隆四　金城哲雄　杉本節郎　長崎　明

鷹尾勇彦　茶谷一男　松井芳明　水谷嘉隆

山本　純　吉松雄太郎

２　千葉縣ニ出動スルモノ　五名（氏名左記）

青山正義　井上　弘　伊佐　務　金沢　敬

須藤嘉郎

東京帝國大學

鉱事二二四号

十九年六月五日　文部省体育局勤労課長

　　　　　　　　学徒動員本部総務部長

係長宛

鉱業土木関係学部ノ学徒勤労ニ関スル件

一、出動学徒割当

帝大鉱、土木　二年　千葉縣　七名　六月二十六日ヨリ　六ヶ月以内

〃　〃　満洲派遣　七月上旬ヨリ　九月下旬マデ

右　出動学生ハ六月八日ノ動員実施通牒ニ依リ

学生課ヲ通シ推薦ノコト

勤第一一八号

十九年六月十五日

文部省専門教育局長

学徒動員本部総務部長

総長殿

食糧増産隊幹部ニ於ケル学徒動員ニ関スル件

八丈島農場ニ訓練後出動ノ件

東大農、ニテ修練ノ上八丈島へ

④七月一日都道府県報告ヲ要ス

本省ヨリ経費ヲ支出シ学生ヲ派遣ス

連絡者

農 二、三年 小田桂三郎、二年 矢野幸夫、

経 一、三年 佐藤太郎、同 守田正高

昭和十九年六月十九日起案

書記

化學科主任

林學科主任

書記官

學部長

農學部第二八五號

案

學徒動員ニ依ル學徒勤勞報國隊（海軍委託學生、生徒）ノ給與ニ関スル件回答

六月十五日付ニ燃廠機密第七一號ノ一八八ヲ以テ御申越ニ係ル標記ノ件本學部ニ於テハ差支ヘ無之候

東京帝國大學農學部

年　月　日

學部長

第二海軍燃料廠總務部長宛

七一 二八八

昭和十九年六月十五日

東京帝國大学
農学部長 殿

第二陸軍燃料廠総務部長

學徒動員ニ依ル學徒勤労報國隊（陸軍委託學生、生徒）ノ給與ニ關スル件照會

茲ニ文部、厚生、農商各次官通牒及動總第一一號以テ決戦非常措置要綱ニ基ク學徒勤労報國隊ノ手當額決定サレ候處陸軍委託學生、生徒ニハ從來通本官ヨリ委託手當ヲ支給サレ居ル關係上各作業場ヨリ學徒勤労報國隊ノ手當トシテ月額大學三十圓專門校二十五圓ヲ各隊長（學校長）ニ支給ノコトニ定メラレ候ニ就テハ之ガ支給ニ關シ意見承知致度

（終）

23

昭和十九年六月二十一日起案

書記

書記官

學部長

案

報償受領者指定ノ件

農學部 一部 諸務二八六號

六月十七日付空技庶第二七七一號ヲ以テ御申越ニ係ル標記ノ件ニ關シ左記ノ通及回答候也

年　月　日

東京帝國大學農學部

學部長

海軍航空技術廠總務部長宛

記

農藝化學科三年相當學生　小曾戸和夫

東京帝國大學

昭和十九年六月十九日

事務室

農藝化學科御中

報償受領者指定ノ件照會

標記ノ件ニ関シ別紙ノ通リ申越有之候ニ付至急該當

氏名御決定ノ上御回報相煩度候也

報國隊長

報國隊長

小曾戸和夫

E 列 5

東東1529

速達

農學部 諸第一八八六號

空技術第 三〇二號

昭和十九年六月二十七日

海軍航空技術廠総務部長

東京帝國大學農學部長殿

報償受領者指定ノ件照會

首題ノ件ニ関シ今般動員學徒ニ対スル報償制度確立セラレ海軍諸給與受領者ヲ報國隊隊長ニ指定セラレ候條貴學（校）ヨリ派遣セラレタル學徒中隊長ヲ御指定ノ上其ノ氏名六月二十八日迄ニ通報ヲ得度

（終）

神奈川縣横須賀市浦郷

J.E.S.--B5 (18.4 × 1.500.000)

24

昭和十九年六月十六日起案

書記

書記官

學部長

農學部諸番二九二號

案

海軍委託學生ノ出動ニ関スル件

首題ノ件ニ関シ當學部農藝化學科第二學年相當及第三學年相當學生ノ海軍委託學生ハ既ニ第二海軍燃料廠ニ出動致シ居リ候モ右ハ第一海軍燃料廠ノ委託研究補助者トシテ農藝化學教室

東京帝國大學農學部

二於テ研究ニ従事致サセ居リシ関係上事情御差支無キ限リ當

本學部ニ歸學致様御配慮賜リ度及御依頼候也

年　月　日

學部長

軍需局第二課長　齋藤大佐

東京帝國大學

昭和十九年六月十五日

農藝化學科主任

佐々木林治郎

農學部長 三浦伊八郎 殿

海軍委託學生ノ出動変更願ニ関スル件

別紙ノ如キ書式ニヨリ學部長ヨリ申請手續キ御取計方御願申上候

此ノ件ハ海軍省當局ニ対シ坂口教授ヨリ連絡セルモノナルコトヲ申添候

B列5

別紙

昭和十九年六月十五日

學部長印

軍需局第二課長齋藤大佐殿

海軍委託學生ノ出動ニ関スル件

首題ノ件ニ関シ當學部農藝化學科第二學年及第三學年ノ海軍委託學生ハ既ニ第二海軍燃料廠ニ出動致シ居リ候モ右ハ第一海軍燃料廠ノ委託研究補助者トシテ農藝化學

教室ニ於テ研究ニ從事致サセ居リシ關係上事情御差支無之キ限リ當學部ニ御戻被下樣御配慮賜リ度御願申上候

東京帝國大學

B
列
4

25

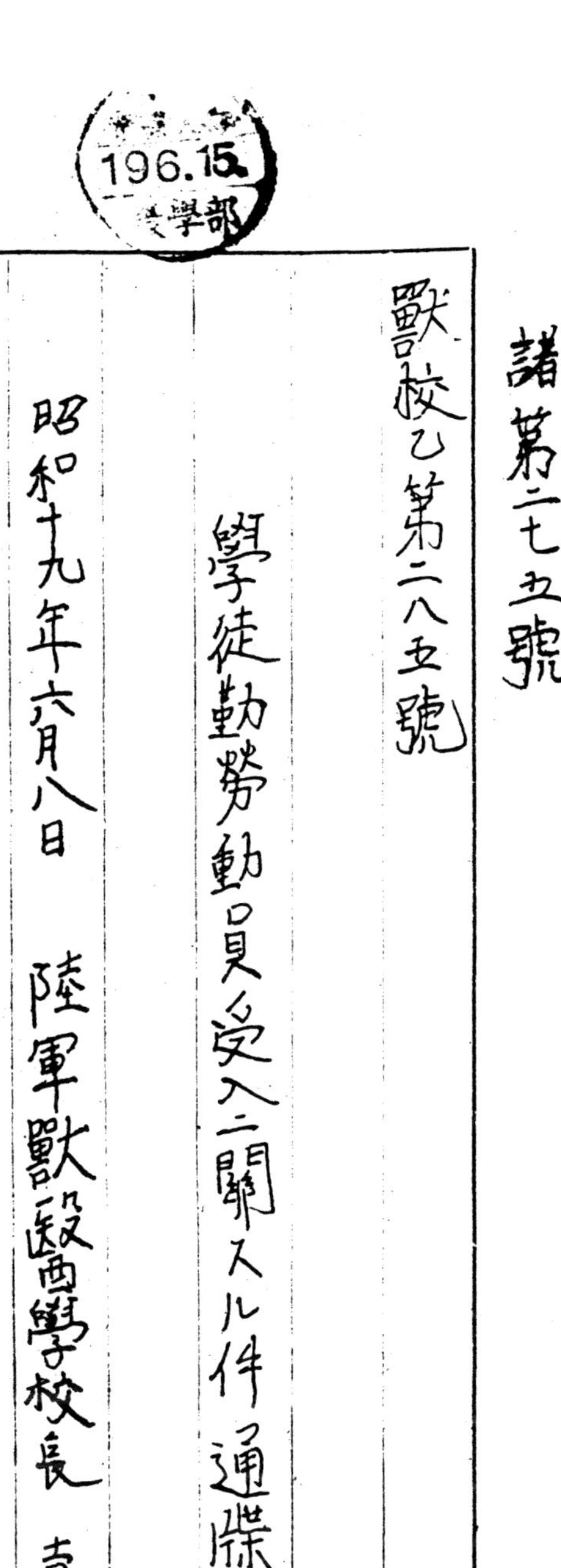

諸第二七五號

獸校乙第二八五號

學徒勤勞動員受入ニ關スル件通牒

昭和十九年六月八日　陸軍獸醫學校長　吉村市郎　印

東京帝國大學總長殿

學徒勤勞動員受入ニ關シ別冊當校學徒動員受入要領ノ主旨ニ依リ主務省ニ協力方申請致シ置キ候間承知相成度候

追テ細部ニ關スル打合セノ爲當校ヨリ職員ヲ派遣致スベキニ付申添候

東京帝國大學農學部

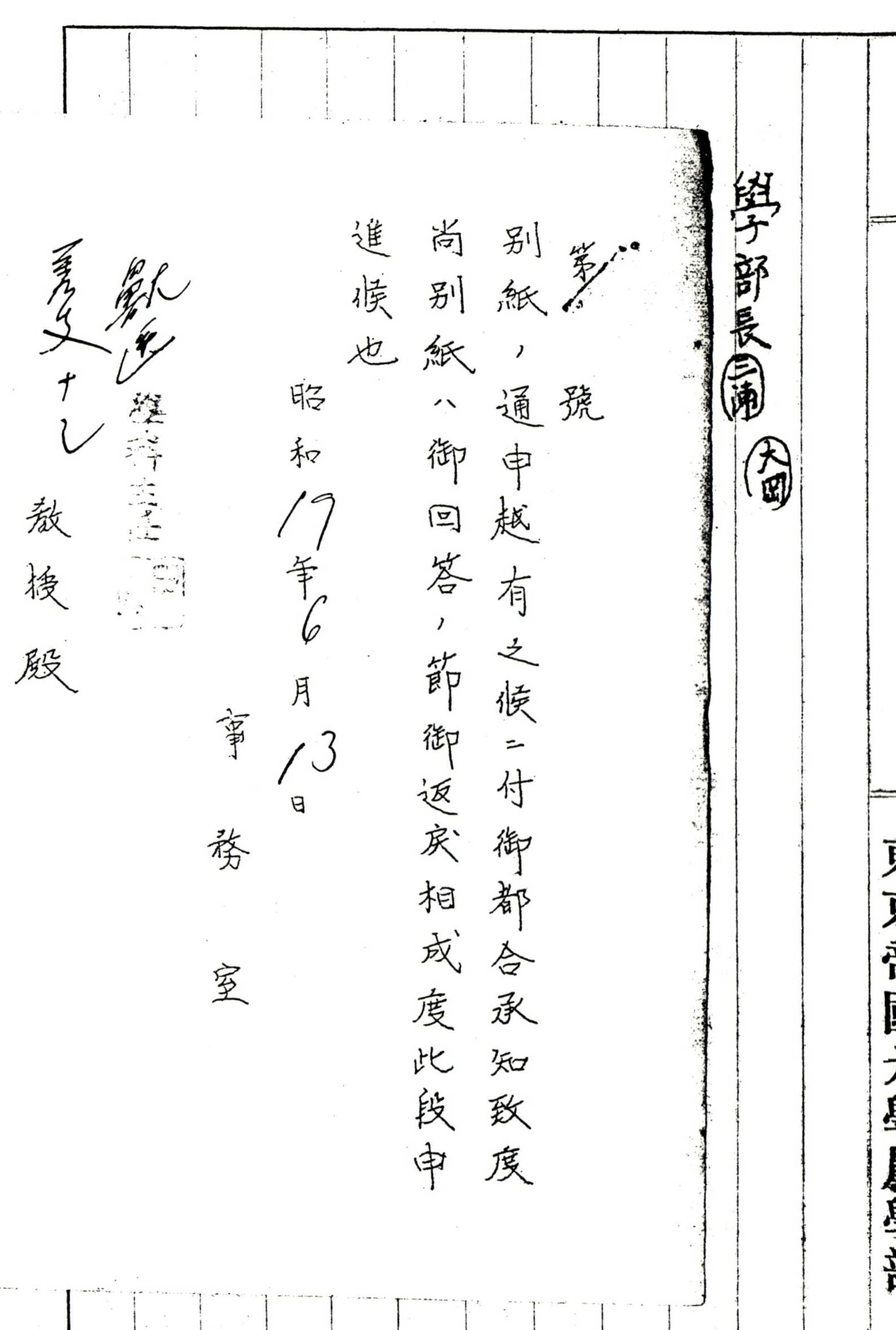

東京帝國大學農學部

學部長 三浦 大岡

第　　號

別紙ノ通申越有之候ニ付御都合承知致度
尚別紙ハ御回答ノ節御返戻相成度此段申
進候也

昭和17年6月13日

事務室

獸医

教授殿

東京帝國大學

四九一

東大庶第八八七號

昭和十九年六月七日

東京帝國大學庶務課長

農學部長殿

學徒動員ニ件フ經理部依託學生實務實習ノ件

標記ノ件ニ關シ今般陸軍航空本部經理部長ヨリ別紙寫ノ通通牒越候條各本人ニ傳達方御取計相煩度此段及御通知候也

東京帝國大學

航普第七三七二號

學徒動員ニ伴フ經理部依託學生實務實習ノ件通牒

昭和十九年六月二日　　陸軍航空本部　經　理　部　長　印

東京帝國大學總長　殿

貴校ノ經理部依託學生別紙氏名者左記ニ據リ出頭セシメラレ度通牒ス

記

一、出頭日時　　昭和十九年六月七日　八時三〇分

二、出頭場所　　陸軍航空本部經理部施設課（都電　市ケ谷下車）

三、其他

(イ)實務實習期間中ハ三宅坂部隊ニ宿營セシム（寢具不要）

(ロ)出頭時ノ服裝ハ學徒制服ニ卷脚袢着用トス

(ハ)携行品ハ教科書、參考書、日用品、教練服及襦袢類ノミトス

(ニ)移動證明書ヲ各人ニ携行セシムルコト

以上

東京帝國大學

經理部依託學生（建技）

東京帝大農學部　農業土木　第二學年　宮島敏光

同　同　同　高橋喜一郎

東京帝國大學

東大庶第八八五號

昭和十九年六月七日

東京帝國大學庶務課長

農學部長殿

經理部依託學生ニ對スル旅費支給願ノ件

標記ノ件ニ關シ經理部依託學生取締將校陸軍主計大佐石井恒吉ヨリ別紙寫ノ通通牒越候條各學生ニ傳達方御取計相煩度此段及御通知候也

東京帝國大學

（寫）

東師經募第三六號

經理部依託學生ニ對スル旅費支給廳ノ件通牒

昭和十九年五月三十一日

經理部依託學生取締將校
陸軍主計大佐　石井恒吉　印

東京帝國大學總長　殿

學徒動員ニ伴ヒ實務實習ノ爲陸軍部隊ニ配當セラルベキ首題ノ學生ニ對スル旅費支給及支給廳ニ關シ左ノ通定メラレアルニ付各學生ニ通達セラレ度

記

一、學校所在地、實習部隊所在地間ノ路程ニ應シ隊伍旅費ヲ給スル外私屬荷物ハ七五瓩以内ヲ官費ニ依リ運搬スルコトヲ得之ガ支給廳ハ東京師團經理部トス

二、復歸ニ要スル旅費ハ配當セラレタル部隊トス

東部軍司令部經由

昭和十九年六月七日
第1258號

糧本第二八八八號

學徒動員ニ伴フ經理部依託學生ノ實務實習ニ關スル件通牒

昭和十九年五月三十日

陸軍糧秣本廠長

東京帝國大學 御中

五月十八日經發第八四號ニ依ル左記ノ者ニ係ル首題ノ件六月五日午前九時陸軍糧秣本廠ニ出頭方取計ハレ度

追テ服裝ハ學生通常服ニシテ學習、教練ニ支障ナキ樣程度トシ作業服其他ハ貸與ス尙通勤ヲ原則トシ辨當ハ携行ニ及ハサルニ付爲念申添フ

左記

第二學年　農藝化學　相田　浩

〃　水産　竹內　脩

第三學年　水産　松本繁實

〃　農藝化學　日高正夫

〃　同　鈴木敏夫

29

欽送冊覧済

獸醫校乙第二八八號

庶務課長

學徒動員ニ伴フ陸軍獸醫部依託學生徒實習計畫送付ノ件通牒

事務官

昭和十九年六月九日

陸軍獸醫學校長 印

農学部長

東京帝國大學總長殿

首題ノ件獸發第一八七號ニヨリ別冊ノ通及送付候也

追テ派遣期日ニ關シテハ相互協議ノ上實施致度ニ付申添候

別冊略ス

昭和19年6月17日

事務室

劉医[illegible]教授殿

東京帝國大學農學部

B4ノ二

30

學部長
書記官 大図

農學部 大第五三四號

案

勤労動員先希望ニ関スル件

本學水産學科三年相當學生別紙ノ通
勤労動員先希望中出有之候ニ付
可然御取計相煩度此段及御依頼候也

年　月　日

學部長

學生課長宛

水產學科三年相當學生勤勞動員出動希望先

東京帝國大學農學部

氏名	出動希望先
秋谷年見	水產化學教室ニ於ケル文部省科學研究動員ニ依ル潤滑油研究ニ從事（第一九班ニ）尚本學部中ニ於テ特別研究
五味亮一	水產動物學教室ニ於ケル文部省科學研究動員ニ依ル潤滑油研究ニ從事シ（大學院特別研究生ニ志望中）
中井久雄	西大洋漁業株式會社ニ於テ從業（同社ヘ就職決定）
鳥巣英夫	出動中（陸軍技術研究所ノ要請ニヨリ水產試驗所ニ出動研究中）
松本繁實	陸軍糧秣本廠ニ於テ陸軍經理部見習士官トシテ從事ス（既定）
村上豊	水產動物學教室ニ於ケル文部省科學研究動員ニ依ル醱酵學講座ノ研究及ビ陸軍第八技術研究所要請ニ依ル特殊水產物增産ノ研究ニ從事（大學院特別研究生志望中）
村山繁雄	就職先決定次第出動ノ見込
山川健重	水產化學教室ニ於ケル文部省科學研究動員ニ依ル戰時綜合化學（八一班）ビタミンノ研究ニ從事（大學院入學希望）
山田隆士	出動中（陸軍技術研究所ノ要請ニ依リ水產試驗所ニ出動研究中）
山本光	西大洋漁業統制株式會社ニ於テ從事（同社ヘ就職決定）

東京帝國大學

氏名	事由
吉崎司郎	出勤中（陸軍技術研究所ノ要請ニ依リ火薬廠研究所ニ出勤研究中）
濱口朝彦	教育召集中（本月一日ヨリ）
草下孝也	病氣ノ為メ長期欠席中ニテ出勤不可能ノモノ
杉浦一郎	同上

B 列 4

三年相當級學生勤労動員出勤希望先調

姓名	出動先
秋谷年見	水産化学教室ニ於テ文部省科学研究動員ニ依ル潤滑油ノ研究（一九班（工班））ニ従事（本学助手ニ採用決定）
五味亮一	水産動物学教室ニ於テ文部省科学研究動員ニ依ル潤滑油ノ研究（一九班（工班））ニ従事 大学院特別研究生志望中
鳥巣英夫	出動中
中井久雄	株式会社林兼商店（西大洋漁業株式会社）ニ於テ従業（同社ヘ就職決定）
松本繁實	陸軍糧秣本廠ニ於テ陸軍経理部見習士官トシテ従業ス（既定）
村上豊	水産動物学教室ニ於テ文部省科学研究費動員ニ依ル（且ツ海軍技術研究所ト連絡研究）[illegible]研究ニ従事（大学院特別研究生志望中）
村山繁雄	~~出動中~~ ~~出動未決定~~ 就職先決定次第出動見込（大学院入学希望）
山川健重	水産化学教室ニ於テ文部省科学研究動員ニ依ル戦時保健化学（八班）ビタミン研究ニ従事
山田隆直	出動中
山本亮	西太平洋漁業統制株式会社ニ於テ従業（同社ヘ就職決定）

東京帝國大學

出勤中、 吉崎司郎

ヽ教育召集中（六月一日ヨリ） 濱口朝彦

（長期病気療養中、） 草下孝也

（病気ノ為 二ケ年相当級生ト課業ヲ共ニス、） 杉浦一[illegible]

右之通希望申請仕候也

水産学科主任 教授 石川昌

農學部長三浦伊八郎殿

B
列
4

31

東京帝國大學

勤第二〇〇号

昭和十九年六月七日

文部省専門教育局学務課長殿　総長

標記ノ件

学校卒業者使用制限令適用ニ

関シ理科系学科卒業者ハ学校卒業者使用制限令ニ関係ス

下記学部関係

農芸化学科　三年　七名　在学セリ

B列5

東東1529

32

32

歎

二〇五

獸校乙第三三〇號

獸醫部依託學生生徒携行品ニ關スル件

陸軍獸醫學校

昭和十九年六月二十六日

東京帝國大學農學部御中

六月九日附獸校乙第二八八號學徒動員ニ伴フ陸軍獸醫部依託學生生徒實習計画第二條第一項携行品ニ左記ヲ追加携行セシメラレ度

記

一、蚊張（各校派遣人員所要數）、湯呑、箸、下駄
　　被服補修材料等日用雜品

通牒先　依託生關係各學校宛

番號	廳名	受付月日	件名	受付番號	主務	綴込區分
陸普第三四六二號	陸軍省副官	六月一日	墨國武官陸軍獸医學校見學ノ件通牒	受第九六二號		
陸普第三四六八號	陸軍省副官	六月一日	軍馬去勢十周年記念ノ件通牒ノ米國馬匹博覧會ニ参考馬参考品出品ノ件通牒	受第九六三號		
第　號	満鐵經濟調査會	六月一日	満洲畜産業統計	受第九六四號		
補丙第一九六六號	軍馬補充部本部	六月二日	昭和七年度馬匹衛生概況送付ノ件	受第九六五號		
補丙第一九二號	同右	六月二日	昭和八年四月馬匹衛生概況ノ件通牒	受第九六六號		

農學部 諸第三〇四號

農開一一東第三一號

昭和十九年六月二十四日

東京都麹町區丸ノ内二[illegible]協會館内

滿洲農地開發公社東京事務所

參事　杉　野　靖

東京帝大農學部長殿

農林關係學徒勤勞動員ニ關スル件

拜啓時下初夏之候益々御清穆之段奉慶賀候

陳者今般文部省ニ於テ學徒動員指令要綱ニ基キ貴學部（校）來年度

卒業豫定ノ農業土木科學徒ヲ弊社ニ勤勞動員セラルヽコトヽ相成候

滿洲農地開發公社

處早速御快諾ヲ賜リ候段感謝ノ至リニ御座候既ニ御承知ノ通リ弊社ハ本年三月一日從來ノ土地開發株式會社ヲ改組擴充シ新ニ特殊法人タル「滿洲土地開發公社」トシテ發足仕リ日滿ヲ通ズル食糧自給体制ノ確立強化ヲ目的トスル緊急農地造成計畫ノ樹立實行機關トシテ之ガ使命完遂ノ爲目下鋭意事業ノ進捗ヲ圖リツヽアルモノニ有之候ニ就テハ今後共何分ノ御援助賜リ度御願申上候

扨テ今回ノ學徒派遣ニ關シテハ關係機關協議ノ結果動員配置並派遣輸送ニ付テハ六月二十一日附日滿鑛工技術員協會理事長ヨリ御通知申上候要領ニ依リ實施セラルヽコト　相成候條右ニ基キ何分ノ御手配相煩度尚併セテ左記要項御了知ノ上可然御配意賜リ度

右不取敢御挨拶旁々御依賴迄申上度如斯御座候

敬具

追而當方ヨリ早速參上仕リ御打合致度儀ニ有之候モ目下手不足ノ爲之ガ實行至難ノ實情ニ有之候間御含置被下度申添候

記

一、貴學部（校）ヨリノ出動學徒一〇名ノ作業豫定場所ハ左ノ通リ

吉林省郭爾羅斯前旗、前郭旗 第二松花江開發東部

二、事業內容ノ說明並作業ニ關スル詳細ナル打合セハ渡滿後新京本社ニテ行フ豫定ナルコト。

三、動員期間ハ九月末迄ノ豫定ナルモ作業上ノ都合ニ依リテハ延長スル場合モアルベキコト。

四、指導ノ爲派遣セラルヽ敎官ノ職氏名並當社關係指導豫定期間ヲ至急通知セラレタキコト。

五、船席名簿作製上必要ニ付同行ノ指導敎官並學徒ノ氏名、年齡、本

滿洲農地開發公社

籍、現住所ヲ記入セル名簿ヲ至急送付セラレタキコト。

六、下關驛迄ノ汽車賃及急行料金三等實費概算トシテ一人當金參拾圓ヲ送付可致ニ付可然手配セラレタキコト。

七、列車中ノ辨當補給用携帶糧食ハ腐敗ノ虞ナキモノヲ用意セシメラレタキコト。

八、豫防注射ハ「チブス」「コレラ」ノ外出來得レバ「ペスト」ニ付テモ施行セラレタキコト。

九、團体輸送中ノ連絡等ニハ「ニコノの／」ノ團体名ヲ使用セラレタキコト。

一〇、公社ノ概要ニ付テハ別添「パンフレット」ヲ御高覽下サレタキコト、但本書ハ極秘トシ特ニ書中ノ「數字」ニ付外部ヘノ發表ハ差控ヘラレタキコト。

一、萬一渡滿學徒ノ人員ヲ變更シ又ハ事故ニ依リ渡滿遲延等ノ者アル場合ハ速カニ當方ニ連絡セラレタキコト。

一、日滿鑛工技術員協會通牒添付書類中「滿洲農地開發株式會社」ハ「滿洲農地開發公社」ノ誤植ニ付訂正相成タキコト。

滿洲農地開發公社

日滿業第六五一號ノ內

昭和十九年六月二十二日

東京帝國大學農學部長 殿

上

㈳日滿鑛工技術員協會

理事長 稲野

來年度卒業農科、獸醫科學徒動員ニ關スル件

曩ニ文部省ニ於テ御承認ヲ得タル首題ノ件ハ關係機關ト協議ノ結果別紙要領ニヨリ動員配置並ニ輸送致度候

就而ハ關係會社ヨリ御連絡申上グ筈ニ有之候處學徒ノ輸送及渡滿後ニ於ケル指導ニ關シ特別ノ御配意ト御協力ヲ賜リ度此段及御依頼候也

追而別添輸送要領及左記事項ニ付御留意ノ上出動學徒ニ周知徹底方御配意賜リ度尚學徒動員ニ關スル照會ハ所屬會社又ハ左記幹協會宛御連絡賜リ度申添候

記

一、日滿鑛工技術員協會　東京都麴町區丸ノ内二ノ一八　康德會館五階　電話丸ノ内　五九五一八内線三　直通五一六一

一、南滿洲鐵道株式會社　東京都麴町區丸ノ　電話九段　四二〇一―一九

一、株式會社滿洲拓殖公社　東京都麴町區丸ノ内二ノ一八　康德會館内　電話丸ノ内　七二四一―一三

一、滿洲農地開發株式會社　仝　電話丸ノ内　五九五一八

一、興農合作社中央會　東京都芝區濱松町一ノ一　中央產業會館別館　電話芝　二九三八

一、滿洲畜產株式會社　新京特別市北安路六二二番

一、鑛淵工業株式會社　東京都品川區大井町三四七五　電話大森　五八五六

附件

一、滿洲學徒輸送計畫案

一、仝　要領

一、仝　發着表

一、仝　心得

一、本年度卒業（農科、獸醫）學徒動員協力學校別員數一覽表

一、學徒出動先會社別割當表

以上各一部

○

一、貴校ヨリ出動先ニ派遣可能職員及學徒ノ住所氏名年令等ヲ記入セル名簿ヲ關係會社ニ至急送付セラレ度

二、學校ニ於テ集合後下關驛迄ノ乘車券、急行券ヲ購入シ學徒ニ交付セラレ度（汽車賃（三等）及急行料金概算金額ハ關係會社ヨリ別途學校長宛送付ノ筈）

三、別途輸送計畫、要領ヲ御參照ノ上下關集合日時ニ必ズ到着スル如ク手配セラレ度

四、下關集合ノ上ハ驛構內東亞交通公社係員又ハ日滿鑛工技術員協會職員ニ連絡セラレ度

渡滿學徒輸送要領

一、別記輸送計畫案ニ依リ係員引率ノ下ニ團体渡滿セシムルモノトス

二、集合場所並ニ期日、別紙輸送計畫記載下關驛集合期日ノ午后二時迄ニ下關驛構内東亞交通公社出張所ニ出頭シ交通公社係員又ハ日滿鑛工技術員協會係員ノ指示ヲ受ケ宿舍ノ手配並ニ注意ヲ受クルモノトス

三、乘車券ノ購入ハ集合地（下關）ヨリ新京迄ノ切符ハ一括日滿鑛工技術員協會ニ於テ手配シ各配置內定者渡滿學徒ハ別紙學徒渡滿心得書記載ノ通リ各自發驛ヨリ集合地下關驛迄ノ切符ヲ各個人ニテ購入スルモノトス

四、釜山上陸後ノ途中辨當ハ東亞交通公社ニ夫々手配ヲ依頼シアリ

五、集合地ヨリ着驛迄ノ指導監督及途中ニ於ケル辨當積込並ニ辨當代金ノ支拂ニ關シテハ引率係員ニ於テ行フモノトス

六、下關集合ノ際ノ宿泊料下關ヨリ着驛迄ノ運賃ハ一時協會ニテ立替拂ヲナシ渡滿終了後各會社ニ精算スルモノトス

学徒渡滿心得

一、渡滿期日並ニ集合期日場所

下關出航期日並ニ集合期日ハ別紙輸送計畫記載通リニシテ集合時間ハ夫々ノ集合日ノ午后二時迄ニ下關ニ集合シ下關驛構内東亞交通公社係員又ハ日滿鑛工技術員協會係員ノ指示ニヨリ宿舍ノ配當其他注意ヲ受クルモノトス

二、渡滿方法

下關ニ集合ノ後隊ヲ編成シ係員ノ引率ニ依リ團体渡滿スルモノトス

三、服裝

服裝ハナルベク學生服又ハ訓練服ノ如キ作業運動ニ適スル服裝ヲナシ努脚絆ヲ穿ツコト

四、携帶品

(1)下關集合ノ際各自白米五合ヲ携行セラレ度(下關宿泊ノ際使用ス)

(2)輸送列車中ノ辨當ハ手配シ有ルモ輸送輻輳シ居ル折柄萬一辨當入手出來得ザル場合ト並ニ辨當ヲ入手シテモ其ノ量僅少ナル事ヲ考慮シ各自一日又ハ二日分ノ携帶糧食((1)以外ニ)ヲ準備セラレ度

(3)日用品中左記品物ハ各自若干用意セラレ度

手拭、化粧石鹼、洗濯石鹼、チリ紙、シャツ、下着、靴下、靴、被服修理材料(針、糸、小布等)、水筒、洗面具、便箋、雜記帳、インキ鉛筆、封筒

(4)豫科學徒ハ十月、獸醫科學徒ハ九月末迄在滿ノ豫定ナルニ付ジヤケツ

セーター類ヲ用意ノコト

(5) 荷物ハ鐵道便等デ托送スルコト、延着ノ虞レアルニ付各自ニ於テ「リユツクサツク」等ニ入レ携行セラレ度

(6) 印鑑ハ必ズ持參スルコト

(7) 現金ハ一人ニ付金貳千圓以上ノ携行ハ税關ニテ許可セラズ（百圓紙幣ノ携行ハ不可）

(8) 寝具類ハ各配屬會社ニテ準備スルニ付各自携行スル必要ナシ

(9) 市町村長發行轉出證明書（配給停止證明書）ヲ必ズ持參ノコト

五、乘車券ノ購入方法

(1) 乘車券ハ下關ヨリ新京迄ノ切符ヲ當方ニテ一括購入準備シオク故下關ヨリ着驛迄ノ切符ハ購入スル必要ナシ

(2) 各自ハ所屬學校長發行ノ學徒動員配置旅行證明書ヲ各自ノ發驛ニ提示シ集合地（下關）驛迄ノ切符ヲ購入スルコト

六、其ノ他

(1) 「チブス」「コレラ」ノ豫防注射ハナルベク終了シ置キ醫師ノ終了證明書ヲ持參セラレ度

來年度卒業農科獸醫科動員學徒輸送計畫

輸送班別	下關集合日時	下關出帆日時	所屬會社	協力學校別	學科別	員數 小計	員數 合計	引率擔當機關
隊1の1ヨニ	七月八日 午后二時	七月九日	滿洲農地開發株式會社	東大農學部	農士	一〇	六九	
				京大農學部	同	五		
				九大農學部	同	一〇		
				三重高農林	同	二〇		
				岐阜高農林	同	一五		
				東京高農林	農業	九		
隊2の1コニ	七月九日 午后二時	七月十日	南滿洲鐵道株式會社	東京農業大學專門部	農士	五	六七	
				宇都宮高農林	農業	六		
				岐阜高農林	獸醫	五		
			興農合作社中央會	東京高農林	農業	九		
				岐阜高農林	獸醫	六		
			鐘淵工業株式會社	東京高等獸醫	獸醫	三		
			滿洲畜產株式會社	東京高農林	農業	五		
				宮崎高農林	獸醫	一三		
				麻布高等獸醫	獸醫	一五		
隊2ロニ	七月十日 午后二時	七月十一	滿洲拓殖公社	京大農學部		五	三七	滿洲拓殖公社
				宇都宮高農		一〇		
				東京高等獸醫	獸醫	一二		

備考　本表ハ派遣指導教官輸送引率者ハ含マズ

來年度卒業（農科、獸醫科）學徒動員協力學校別員數一覽表

學校別	科別	員數	小計	合計	備考
東京帝大農學部	農士	一〇	一〇	一七〇	大學 農業土木 三〇 專門 農業土木 五〇 農業 三六 獸醫 五四
京都帝大農學部	農士	一〇	一〇		
九州帝大農學部	農士	一〇	一〇		
東京農業大學專門部	農士	五	五		
東京高等農林	農業	二三	二三		
宇都宮高等農林	農士	一〇	二三		
	農業	一三			
三重高等農林	農士	二〇	二〇		
岐阜高等農林	農士	一五	二五		
	獸醫	一〇			
宮崎高等農林	獸醫	一三	一三		
東京高等獸醫	獸醫	一五	一五		
麻布高等獸醫	獸醫	一五	一五		
		一七〇	一七〇		

(1)

學徒（農科）出勤先會社別割當表

摘要／會社別	程度別	學校別	學科別	學年別	員數	出勤期間	主ナル出勤先	作業ノ種類	備考
南滿洲鐵道株式會社	專門	東京農業大學專門部	農土農木	二年	5	自七月初旬至十月末	吉林省舒蘭縣	土地改良ノ爲ノ測量	
	同	宇都宮高等農林	農林	二年	6	自七月初旬至十月末	同上	同上農業經營	
滿洲畜產株式會社	專門	東京高等農林	農林	二年	5	自七月初旬至十月末	興安總省牙克石	農場建設	
滿洲拓植公社	大學	京大農學部	農土業木	二年	5	同	龍江省甘南縣農地造成事業場及北安東安兩省下開拓團	農地造成及農地配分事業ノ爲ノ測量	
	專門	宇都宮高等農林	農土業木	二年	10	同	同上		
	同		農業	二年	7	同	龍江省富裕縣寧年機械農場興安北省牙克石機械農場興安北省免渡河機械農場	栽培作業一般	
興農合作社中央會	專門	東京高等農林	農業	二年	9	同	各省支社	技術指導	

滿洲農地開發公社	大學	東大農學部	農業土木	二年	10	自七月初旬至十月末	吉林省第二松花江地區	緊急農地造成	
	同	京大農學部	農業土木	二年	5	同	2 同上	基礎調査及	
	同	九大農學部	農業土木	二年	10	同	2 三江省（太平鎮 還江口 鶴立）	測量設計	
	專門	三重高等農林	農業土木	二年	20	同	第二松花江	仝上	
	同	岐阜高等農林	農業土木	二年	15	同	[illegible]山地區	仝上	
	同	東京高等農林	農業	二年	9	同	同上	造成地區農業經營ノ指導	
計	大學				30				
	專門				86				
合計					116				

(2) 學徒（獸醫）出動先會社別調査表

摘要 會社別	程度別	學校別	學科別	學年別	員數	出動期間	主ナル出動先	作業ノ種類	備考
滿鐵	專門	岐阜高等農林	獸醫	二年	5	自7月初旬至9月末	吉林及龍江省チチハル市自家牧場	牧場診療滿系指導	
滿洲拓殖公社	同	東京高等獸醫學校	同	同	12	同上	三江省樺川縣千 家畜診療所	開拓團家畜診療	
鐘淵工業株式會社	同	同上	同	同	3	同上	興安東省王府牧場	農牧場豫防接種診療	
興農合作社中央會	同	岐阜高等農林	同	同	6	同上	安東省安東興農支部	滿系技術員ノ指導	
滿洲畜産	同	宮崎高等農林	同	同	13	同上	熱河省承德	牛疫炭疽豫防接種	
株式會社	同	帶廣高等獸醫	同	同	15	同上	興安總省バイラル	同上	
計					54				

昭和二十年度卒業農科及獸醫科勤勞學徒動員輸送發着表　ニコノの一（農地開發八〇名）

月日	曜	地名	發着時刻	列車番號	辨當手配	備考
七月八日		下關驛	集合			當日各自米五合携行ノ上午后二時迄ニ下關驛ニ到リシ下關驛東京交通公社ニ出頭シ公社係員又ハ協會派遣員ヨリ伯舍其他ニ關シ指示ヲ受クル事
〃九日		下關驛	發〃	連使		
〃〃		釜山驛	着	〃	夕食－釜山	
〃〃		釜山驛	發二一二〇	試一	（十日）朝食－京城 中食－京城 夕食－定州	
〃十一日		新京驛	着一四五〇	〃	（十一日）朝食－奉天 中食－四平	

驛積込辨當個數ハ一食分八十個ニ手配濟

昭和二十年度卒業農科及獣醫科勤労學徒動員輸送發着表　ニノ2　(満州拓殖公社)四〇名

月日	曜	地名	發着時刻	列車番號	辨當手配	備考
七月十日		下関驛	集合			當日各自米五合携行ノ上午后二時迄ニ下関驛ニ到リ下関驛東亞交通公社ニ出頭シ公社係員又ハ協會派遣員ヨリ宿舎其他ニ関シ指示ヲ受クル事
〃十一日		下関驛	發	普便	夕食ー釜山	
〃〃		釜山驛	着	〃		
〃〃		釜山驛	發二一、一〇	急一	(十二日)朝食ー京城 中食ー京城 夕食ー定州 (十三日)朝食ー奉天 中食ー四平	
〃十三日		新京驛	着一四、五〇	〃〃		

驛積込辨當個數ハ一食分四十個ニ手配濟

昭和二十年度卒業農科及獣醫科勤勞學徒動員輸送發着表

二コノの2

（滿畜）　鑛滿工業　滿鐵　興農合作社　八〇名

月日	曜	地名	發着時刻	列車番號	辨當手配	備考
七月九日		下関驛	集合			當日各自米五合携行ノ上午后二時迄ニ下関驛ニ到リ下関驛東亞交通公社ニ出頭シ公社係員又ハ協會派遣員ヨリ宿舍其他ニ関シ指示ヲ受クル事
〃 十日		下関驛	發	壹便		
〃 〃		釜山驛	着	〃	夕食ー釜山	
〃 〃		釜山驛	發二一、一〇	一	（十一日）朝食ー京城 中食ー京城 夕食ー定州 （十二日）朝食ー奉天 中食ー四平	
〃 十二日		新京驛	着一四、五〇	〃		

驛積込辨當個數八一食分八十個ニ手配濟

日滿業第六五一號ノ内

昭和十九年六月二十一日

關係會社 殿

在日滿鐵工技術員協會

理事長 藤 野 實

來年度卒業農科、獸醫科學徒動員ニ關スル件

今回文部省ニ於テ學徒動員措置要綱ニ基キ來年度卒業ノ農科、獸醫科學徒ヲ滿洲國內ニ勤勞動員サルルコトニ相成關係機關ト打合セノ結果渡滿輸送並ニ受入側ノ準備其ノ他ニ關シ左記ニヨリ實施致スコトト相成候就テハ協力學校側ニ對シ弊協會ヨリ連絡致スヘク候處貴社ヨリモ連絡學徒取扱ノ上ニ萬遺漏ナキヲ期セラレ度此段及通知

附件

一、渡滿學徒輸送計畫
一、渡滿學徒輸送要領
一、渡滿學徒輸送發着表
一、渡滿學徒心得
一、來年度卒業（農科、獸醫科）學徒動員協力學校別員數一覽表
一、學徒出動先會社別割當表
一、學徒受入側措置要領

以上各一部

記

一、輸送
學徒ノ輸送ハ別添輸送計畫並ニ要領ニ基キ實施スルコト

二、學徒受入側措置
學徒受入側ノ措置ハ別添、鑛工關係學徒勤勞動員受入側措置要領ニ據リ取扱フコト

三、受入側ノ準備
(イ)協力學校ニ連絡シ貴社ニ派遣ノ指導教官職氏名ヲ取纒メ協會ニ連絡ノコト
(ロ)派遣指導教官及學徒ノ氏名、年令、住所等ヲ記入セル名簿ヲ作製シ(二部)協會ニ送付ノコト

四、指導教官ノ待遇並ニ諸給與
指導教官ノ待遇並ニ諸給與ニ關シ日本國内ニ於テ未決定ナルニ付滿洲國側ニ於テハ別途政府並ニ關係機關ト協議ノ上取リキメノコト

五、指導教官學徒指導ニ當リ二社以上ニ渉ルトキハ關係會社相互間ニ於テ協議ヲナシ指導教官諸手當ヲ分割負擔ノコト

六、寢具並ニ防寒具ノ用意
指導教官及學徒ノ寢具ハ受入側事業體ニ於テ準備スルコト

（別添鑛工關係勤勞動員學徒ニ對スル寢具、作業用品領配給ニ關スル件
參照）

（尚農科系學徒ノ動員期間ハ十月末ナルヲ以テ北滿地區ハ防寒具ノ必要
アルニ付コノ點考慮ノコト）

七、關係學校長宛出動教官及學徒ノ學校所在地ヨリ集合地タル下關驛迄ノ三
等汽車賃及急行料金等概算ヲ一括送付ノコト

35

日大關合第三〇號

康德十一年六月二十四日

駐日滿洲國大使館

參事官　桂　定治郎

別紙添附

東京帝國大學
農學部長　殿

滿洲派遣勤員學徒ニ關スル件

標記ノ件今回貴校農林科二年生一〇名學徒勤員ニヨリ弊國御派遣相賜ルコトニ豫テ文部省ニ於テ決定セラレ候處之カ御派遣先其ノ他ニ關シテハ別表ノ通關係各省ノ諒解濟　別途文部省ヨリ正式通牒可有之候間目下正式文書ニヨル手續中ニ有之候間御諒承相成度旁連絡申上候也。

追而本件ニ關シテハ近日中別紙日程ニヨリ弊館係員其他關係者ヲ貴校ニ派遣ノ上詳細御打合申上クヘク候間御含置被下度候

(1)　學徒（農科）出勤先會社別割當表

摘要 / 會社別	程度別	學校別	學科別	學年別	員數	出勤期間	主ナル出勤先	作業ノ種類	備考
南滿洲鐵道株式會社	專門	東京農業大學專門部	農土業木	二年	5	自七月初旬至十月末	吉林省舒蘭縣	土地改良ノ爲ノ測量	
	同	宇都宮高等農林	農業	二年	6	自七月初旬至十月末	同上	同上農業經營	
滿洲畜産株式會社	專門	東京高等農林	農業	二年	5	自七月初旬至十月末	興安總省牙克石	農村建設	
滿洲拓植公社	大學	京大農學部	農土業木	二年	5	自七月初旬至十月末	龍江省甘南縣農地造成事業場及北安東安兩省下開拓團	農地造成及農地配分事業ノ爲ノ測量	
	專門	宇都宮高等農林	農土業木	二年	10	同	同上		
	同	同上	農業	二年	7	同	濱江省富裕縣[illegible]年機械農場興安北省牙克石機械農場興安北省免渡河機械農場	栽培作業一般	
興農合作社中央會	專門	東京高等農林	農業	二年	9	自七月初旬至十月末	各省支社	技術指導	

滿洲農地開發公社	大學	東大農學部	農業土木	二年	10	自七月初旬至十月末	1 吉林省第二松花江地區（前郭旗）	緊急農地造成	
	同	京大農學部	農業土木	二年	5	同	2 同　上	事業調查及	
	同	九州農學部	農業土木	二年	10	同	3 三江省（太平 蓮江口 鶴立）	測量設計	
	専門	三重高等農林	農業土木	二年	20	同	第二松花江	同　上	
	同	岐阜高等農林	農業土木	二年	15	同	盤山地區	同　上	
	同	東京高等農林	農業	二年	9	同	同　上	造成地區農業經營ノ指導	
計	大學				36				
	専門				86				
合計					116				

(2) 學徒（獸醫）出動先會社別調査表

摘要／會社別	程度別	學校別	學科別	學年別	員數	出動期間	主ナル出動先	作業ノ種類	備考
滿鐵	專門	岐阜高等農林	獸醫	二年	5	自7月初旬 至9月末	吉林及龍江省ニ於ケル屯自家牧場	牧場診療 滿系指導	
滿洲拓殖公社	同	東京高等獸醫學校	同	同	12	同上	三江省樺川縣千振家畜診療所外數ケ所	開拓團家畜診療	
滿洲工業株式會社	同	同上	同	同	8	同上	興安東省王府牧場	畜牧場豫防接種診療	
興農合作社中央會	同	岐阜高等農林	同	同	6	同上	安東省安東興農支部	滿系技術員ノ指導	
滿洲畜産株式會社	同	宮崎高等農林	同	同	13	同上	熱河省承德	牛疫撲滅豫防接種	
	同	麻布高等獸醫	同	同	15	同上	興安總省ハイラル	同上	
計					54				

(3)　學徒出勤先（藥學）及會社別割當表

摘要 ＼ 會社別	程度別	學校別	學科別	學年別	員數	出勤期間	主ナル出勤先	作業ノ種類	備考
滿洲拓殖公社	專門		藥學	三年	1 5	自7月初旬 至9月末日	濱江・牡丹北安ノ開拓團ノ巡回診療	藥品調済 診療	
計					1 5				

獸校乙第三四二號

陸軍獸醫部依託學生生徒實習開始期日ニ關スル件通牒

昭和十九年六月二十九日

陸軍獸醫學校長

東京帝國大學總長殿

學徒動員ニ伴ヒ當校ニ於テ實習セシメラルル陸軍獸醫部依託學生（生徒）ハ來ル七月十五日九時當校ニ入校セシメラレ度及通牒候也

昭和一九、六、二九
陸軍獸醫學校

派遣者携行品

一、移動證明書（町會發行ニ係ルモノ）
二、學年相當ノ教科書、參考書及學用品
三、實習衣（教練衣）、卷脚絆（長靴、革脚絆ヲ有スル者ハ携行スルヲ
可トス
四、夏冬制服、下着類（三學年生ハ各服不要）
五、寢具（三學年生ハ夏期所要數）
六、蚊張（學校學年毎ニ派遣人員所要數）
七、箸、湯呑、下駄、被服、補修材料等日常諸品

兵務局所管師團經由

獸校乙第二八八號

學徒勤員ニ件ヲ陸軍獸醫部依託學生々徒實習計畫送付ノ件通牒

陸軍獸醫學校長

昭和十九年六月九日

東京帝國大學總長殿

農學部長

首題ノ件獸發第一八七號ニヨリ別冊ノ通及送付候也

追テ派遣期日ニ關シテハ相互協議ノ上實施致度ニ付申添候

學徒動員ニ伴フ陸軍獸醫部依託學生々徒實習計畫

昭和十九、六、十五日
陸獸決

第一　總則

一、本計畫ハ昭和十九年三月二十一日陸密第一一四六號竝ニ同年四月六日獸發第一八七號通牒ニ基キ陸軍獸醫部依託學生々徒實習ニ關スル事項ヲ示スモノトス

二、當校ニ於テ實習スル依託學生々徒ハ差當リ第二、第三學年ニ在學スル者トシ概ネ一ケ年間ヲ目途トシ之ヲ行フモノトス

但シ新ニ採用セラレタル同學年ノ者ハナルベク速カニ本校ニ派遣スルモノトス

三、實習ノ目的ハ一定ノ宿舍ニ收容シ專任將校以下ノ監督ノ下ニ嚴肅ナル軍隊生活ヲ體驗セシメ軍人精神ノ涵養及將校タルノ識量技能ノ養成ヲ主眼トシ職場勤勞ヲ通ジテ實地教育ヲ施シ以テ勤勞作業ニ伴フ專門學術職能ノ低下ヲ避ケ將來獸醫部將校補充上遺憾ナキヲ期スルニアリ

四、實習間依託學生々徒ノ身分ハ一般學生々徒トシテノ學籍ヲ保有スルモノトシ其ノ取扱ハ概ネ將校生徒ニ準ズルモノトス

五、依託學生々徒ヲ派遣スベキ各學校長ハ學生々徒ノ連名簿、學業ノ進度表、學業成績書、軍事教練書及身上書各一通ヲ派遣ノ際所管師團經由當學校長ニ送付スルモノトス但シ疾病等ノ爲派遣困難ナル者アルトキハ其ノ事由及將來ノ見込ヲ連名簿ニ附記スルモノトス

六、當學校長ハ本實習間各學期末及學年末ニ於テ實施ノ概要、各學生々徒ノ成績及考科ノ概要ヲ陸軍省兵務局長及所管師團長ヲ經テ各學校長ニ通報スルモノトス

七、依託學生々徒派遣人員附表第一ノ如シ

第二、服裝及給養

一、依託學生々徒ハ全員當校ニ於テ設備スル宿舍ニ收容スルモノトシ服裝ハ當該學校ノ制服制帽ヲ著用携行品ハ左記ヲ基準トシ各自

携行セシムルモノトス

1、學年相當ノ教科書、參考書及學用品

2、實習衣、教練衣、卷脚絆（長靴又ハ革脚絆ヲ有スル者ハ携行スルヲ可トス）

3、夏冬制服、下著類

4、寢具

二、實習間ハ昭和十七年陸亞普第一六三號ニヨル手當金等ハ之ヲ給セズ依託學生々徒トシテノ手當金ヲ給ス

右手當金ノ支給廳ハ大東亞戰爭給與令細則第四條第五號ノ規定ニ拘ラズ當校ニ於テ之ヲ給ス

三、分派及復校ニ要スル旅費ハ各學校所在地ト當校所在地間ノ路程ニ應ジ隊伍旅費（旅籠料ハ倍額）ヲ給スルノ外私屬荷物ハ旅費規則附表第三荷物量目乙號以內ヲ官費ニ依リ運搬スルコトヲ得其ノ定額ハ諸生徒ノ額ニ依ル

右派遣ニ要スル旅費ノ支給廳ハ陸軍依託學生々徒規則第十七條ニ規定スル部隊トシ復歸ニ要スル旅費ノ支給廳ハ當校トス

四、宿舍料（電燈料、水道料及清掃料等ヲ含ム以下同ジ）ハ之ヲ官ニ於テ支辨シ學生々徒ヨリ徴收セズ

五、糧食、暖室用薪炭ハ自辨トス瓦斯代ハ所管經理部長ノ定ムル定額ヲ納付セシム

六、宿舍管理ノ爲必要ニ應ジ一宿舍ニ付一人ノ管理人（傭人）ヲ置クモノトス

第三、監督者竝ニ教官

一、依託學生々徒監督及訓育ノ完璧ヲ期スル目的ヲ以テ依託學生徒隊ヲ編成シ學生々徒別學年別毎ニ四個班ニ區分ス

生徒隊ニ左ノ職員ヲ置ク

生徒隊長　一（少佐　一）

書記　二（下士官 屬員　一）

班長　四（學生々徒中ヨリ命課ス）
舍監　二（將校　一／囑託　二）

二、實習ノ爲教官ハ當校職員ヲ之ニ充當スルモ一部ハ各學校教授職員ニ依囑シ協力ヲ受クルモノトス

教官及囑託員配當區分附表第二ノ如シ

第四、實習課目竝ニ配當時間

一、勤勞作業ハ陸軍獸醫學校內外ニ於テ軍用動物及家畜ノ保育衞生畜産物製造、獸醫資材及血清類ノ製造、修理、格納、梱包、發送農耕及防衞ニ關スル築營等獸醫畜産及陸軍獸醫部關係事項ニ關シ朝夕之ヲ課スルノ外全期間日數ノ五分ノ一ハ終日行ハシム

二、軍事教育（軍陣獸醫學教育ヲ含ム）ハ軍事教育強化要綱ヲ更ニ強化シ現役獸醫部將校トシテ必要ナル事項ニ付之ヲ課シ充當ベキ時間ハ毎週十四時間以上（內軍陣獸醫學ハ二時間以上）ト

シ別ニ每週一－二回終日訓練ヲ行フ
三、大學專門學校ニ於ケル相當學年ノ學科課程ハ學生々徒及學年ヲ區分シ特ニ時間ヲ配當シ或ハ勤勞作業ヲ通ジ其ノ修得ニ遺憾ナカラシム、之ニ充ツベキ時間ハ每週二十時間以上トシ又卒業論文ヲ課シアル學校ノ第三學年在學者ニ就テハ勤勞作業トシテ作業ヲ課ス
四、敎育課程標準表附表第三其ノ一其ノ二ノ如シ

附表第一

陸軍獸醫部依託學生々徒派遣人員表

學校名	第三學年	第二學年	摘要
東京帝國大學農學部	一二	三	
北海道帝國大學農學部	三	三	
東京高等農林學校	一三	一一	
盛岡高等農林學校	一二	一〇	
宇都宮高等農林學校	二	四	
岐阜高等農林學校	三	五	
鳥取高等農林學校	四	四	
宮崎高等農林學校	一	四	
鹿兒島高等農林學校	九	四	
帶廣高等獸醫學校	九	一〇	
大阪高等獸醫學校	五	三	

水原高等農林學校	二	三	
東京高等獸醫學校	四	四	
麻布獸醫專門學校	四	六	
日本高等獸醫學校	五	二	
計	八四	七三	一五七

附表第二

教官及囑託員配當區分表

學科目	教官	囑託員	摘要
訓育	ケ一	ケ一	教官ハ生徒隊長、囑託員ハ舍監之ヲ兼務ス
教練	一	一	軍事學ヲ含ム
病理學	一	一	病理解剖及組織學ヲ含ム
傳染病學	一	一	細菌及免疫學ヲ含ム
衛生學	一	一	藥理、藥物學ヲ含ム
內科學	一	一	寄生蟲學ヲ含ム
外科學	一	一	產科、皮膚寄生蟲、眼科ヲ含ム
畜產學	一	一	畜政、畜產經營、畜產製造ヲ含ム
裝蹄學	一	一	蹄病學ヲ含ム
臨床獸醫學	一		獸醫勤務、獸醫畜產關係法規ヲ含ム
軍用動物學	三	一	馬學ヲ含ム

作物・土壌・肥料学		一	
林業牧野		一	
馬術	二		
剣術	一	ケ一	嘱託員一ハ教練嘱託員兼務ス
計	一五ケ一	一一ケ二	

附表第三其ノ一　教育課程標準表（帝大依託學生ノ部）

學科目	每週實習時數 第二學年 前期	每週實習時數 第二學年 後期	每週實習時數 第三學年 後期	摘要
藥理學	二			
細菌學及免疫學	一	一	一	
病理學	一	一		
畜産學	一	一		
馬學	一	一		
内科學	二	一		
外科學	二	一		
傳染病學	一	一		
衛生學	一	一	一	
裝蹄學	一	一	一	
畜政學			一	
畜産製造學		一	一	
實用動物學		一	一	

學科目				
飼料作物學			二	
土壌及肥料學		一		
軍陣獸醫學	二	二	二	獸醫畜産關係法規ヲ含ム
細菌及免疫學實習	一	一	一	
外科手術實習	一	一	一	
装蹄實習	一	一	一	
病理解剖組織實習	一	一	一	
衛生學實習	一	一	一	
畜産製造實習		一	一	
臨床實習	一	一	二	
馬學實習		一	一	
牧場實習			一	概ネ二週間トス、林業、牧野ヲ含ム
軍事教育	一二	一二	一二	精神教育、馬術、劍術ヲ含ム
終日訓練	一―二日	一―二日	一―二日	
勤勞作業	一日	一日	一日	
卒業論文				勤勞作業中ニ作業ヲ課ス

備考

一、實習ハ一回ヲ二乃至三時間トス

二、實習ハ概ネ勤勞作業中ニ行フモノトス

附表第三其ノ二

教育課程標準表（專門學校依託生徒ノ部）

學科目	每週教育時間 第二學年	每週教育時間 第三學年	摘要
家畜病理學	一		
藥物學	一		
內科學	二		
外科學	二		
傳染病學	一		
衞生學	一	二	
畜産學	一	一	
裝蹄學	一		
軍用動物學	二	二	馬學ヲ含ム
軍陣獸醫學	一	二	獸醫畜産關係法規ヲ含ム
作物學		一	
畜産製造學	一	一	
畜産經營學		一	

臨床實習	二	二	（内科、外科各一回）
細菌實習	一		
外科手術實習	一		
装蹄實習	一		
病理解剖組織實習	一	一	
衛生實習	一	一	
軍用動物實習	一	一	
牧場實習		一	概ネ二週間　林業牧野ヲ含ム
畜産製造實習		一	
軍事教育	一二	同上	
終日訓練	一乃至二回	同上	
勤労作業	概ネ一日	同上	
卒業論文			勤労作業中ニ作業ヲ課ス

備考　一、實習ハ一回ヲ二乃至三時間トス
　　　二、實習ハ概ネ勤労作業中ニ行フモノトス

38

東京帝國大學

昭和十九年七月五日

農業経済学科主任
東畑精一

農学部長三浦伊八郎殿

一、二、三年在学者ノ学徒勤労動員ニ参加可能者氏名ニ関スル件

標記ノ件ニ関シ当学科ニ於テハ別紙之通リ此段及御報告申上候。

B列5

東京帝國大學

三年在學者氏名

兒玉賀典

松崎鎌次

柳澤英範

矢野　勇

二年在學者氏名

二年相當學生ハ該當者之無候

B列5

39

日滿業第六六〇號
昭和十九年六月二十四日

東大農學部長殿

財團法人日滿鑛工技術員協會
理事長 梅野實

來年度卒業農科、獸醫科學徒動員ニ關スル件

本月二十二日附日滿申（業）六五一號ヲ以テ御連絡申上タル首題ノ件中左記ノ通リ追加御訂正相成度此段及御願候也

記

一、別表中本年度卒業農科、獸醫科動員學徒輸送計畫表ノ二コ乙滿洲拓殖公社ノ協力學校別欄ニ（宇都宮高等農林、農林七）ヲ追加シ合計（三七ヲ三四）ニ訂正

一、昭和二十年度卒業農科及獸醫科勤勞學徒動員輸送發着表ニコノの乙ノ關係會社名ノ處ニ「滿畜」ヲ追加

調所三九、六、二八
康德會館

回覧　学徒勤労動員ニ伴フ学徒ノ被保険者資格ニ関スル件

大才五六七号

昭和九年七月一日

事務室

演習林

農場

水産實驗所

御中

農學科

農藝化學科

林學科

獸醫學科

水產學科

農業經濟學科

農業土木學科

農學部 大第五六七號

東京帝大學第二三一號

昭和十九年六月廿八日

學生課長 大室貞一郎

農學部長 三浦伊八郎殿

學徒勤勞動員ニ件フ學徒ノ被保險者資格ニ關スル件

標記ノ件ニ關シ文部省學徒動員本部第三部長ヨリ別紙寫ノ通リ申越候條委曲右ニテ御了知相成度此段依命及移牒候也

動體八號

昭和十九年六月二十一日

學徒動員本部第三部長

文部省體育局長　印

直轄學校長

公私立大學高等專門學校長　殿

學徒勤勞動員ニ件フ學徒ノ被保險者資格ニ關スル件

標記ノ件ニ關シ別紙ノ通厚生省保險局長ヨリ通知有之タルニ付御了知相成度此段及通達

「別紙」

保發第三三四號

昭和十九年五月二十二日

厚生省保險局長

廳府縣長官

健康保險組合理事長　殿

學徒勤勞動員ニ伴ヲ學徒ノ被保險者資格ニ關スル件

學徒勤勞動員ニ伴ヒ學徒ガ健康保險法ノ適用ヲ受クル事業所ニ於テ其ノ業務ニ協力スル場合ニ在リテハ本法ノ適用ニ關シ當該事業所ニ使用セラルルモノト解スルヲ適當ト被認候條爾今左記方針ニ依リ御取扱相成度

追而勞働者年金保險法ノ適用ニ關シテハ近ク被保險者タラザルモノトシテ指定告示可相成見込ニ有之爲念

記

(一)被保險者ノ資格ニ關スル事項

イ、二月以内ノ期間ヲ定メテ協力スル場合ニ在リテハ健康保險法施行令第九條ノ四第一號ニ該當スルモノトス

ロ、標準報酬ハ工場事業場學徒勤勞動員受入側措置要綱昭和十九年五月三日付動總一一號文部省總務局長、厚生省勤勞局長軍需省總動員局長通牒ニ依リ之ヲ定ムルモノトス

(二)保險給付ニ關スル事項

傷病手當金其ノ他ノ現金給付ノ支給ニ付テハ學徒タル個々ノ境遇ニ鑑ミ直接支拂ヲヲ適當トセザル場合ニ在リテハ報償ニ應ジ便宜之ガ受領方委任狀ヲ添付セシメテ學校報國隊長ニ手交シ報國隊長ヨリ本人ニ對シ交付セシムル等適宜ノ措置ヲ講ズベキモノトス

㈢費用ノ負擔ニ關スル事項

保險料ハ便宜受入側ニ於テ支拂ハシムルモ學徒自ラノ負擔ニ於テ之ヲ爲スモノト解スベキモノトス

㈣其ノ他

派遣責任教職員ニ在リテモ之ガ事業ニ協力スル場合ニ在リテハ被保險者タルモノトス此ノ場合ニ於ケル取扱モ前記㈠乃至㈢ニ據ルモノトス

解説執筆者

西山　伸（にしやま・しん）

一九六三年生まれ。京都大学大学文書館教授

主な編著書等　『京都大学大学文書館資料叢書1　羽田亨日記』（京都大学大学文書館、二〇一九年）、『京大生小野君の占領期獄中日記』（共編著、京都大学学術出版会、二〇一八年）、『学校沿革史の研究　大学編2　大学類型別比較分析』野間教育研究所紀要第五八集（共著、学校沿革史研究部会編、野間教育研究所、二〇一六年）、『学校沿革史の研究　大学編1　テーマ別比較分析』野間教育研究所紀要第五三集（共著、学校沿革史研究部会編、野間教育研究所、二〇一三年）、『知の伝達メディアの歴史研究　教育史像の再構築』（共著、辻本雅史編、思文閣出版、二〇一〇年）ほか。

東京帝国大学農学部
学徒動員関係史料　第1巻
第1回配本・全2巻

解説　西山　伸

2019年10月25日　初版第一刷発行

発行者　小林淳子
発行所　不二出版　株式会社
〒112-0005
東京都文京区水道2-10-10
電話　03（5981）6704
http://www.fujishuppan.co.jp
組版／昴印刷　印刷／富士リプロ　製本／青木製本
乱丁・落丁はお取り替えいたします。

第1回配本・全2巻セット　揃定価（揃本体36,000円＋税）
ISBN978-4-8350-8326-1
第1巻　ISBN978-4-8350-8278-3

2019 Printed in Japan

JN151308